誰もが知りたいQアノンの正体

みんな大好き陰謀論II

内藤陽介

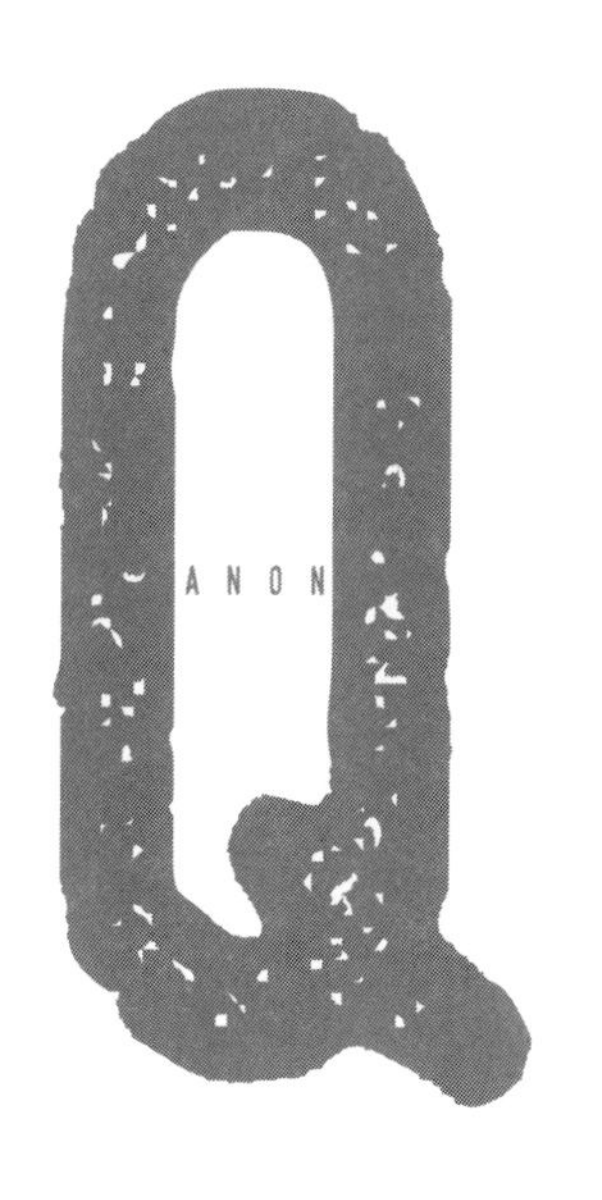

ビジネス社

はじめに

米国の大統領選挙後まもない二〇二〇年末から二〇二一年初めにかけて、こんな感じのツイートが一部のネット界隈(かいわい)を賑(にぎ)わせました。

加藤清隆（文化人放送局ＭＣ）@jda1BekUDve1ccx　二〇二〇年一一月一七日

今回もし米大統領選で〝大逆転〟が起きるとしたら、決め手は集計ソフト・ドミニオンのフランクフルトにあるサーバーを米軍が急襲し、押収したこと。これで不正の全容が判明する。12年前から計画されていたとされ、オバマ氏らが事情聴取を受ける可能性も。また中国絡みではバイデン候補の聴取があるかも。

ツイート主は、大手通信社で米国特派員や政治部長、解説委員などを歴任したジャーナリストで、他にも、作家の百田尚樹氏ら「保守系」とされる言論人が似たような内容のツイートを盛んに行っていました。

「ドミニオン」というのは米国の大手投票集計機メーカーのことで、このジャーナリストによると、同社のサーバーは（なぜか米国内ではなく）フランクフルトにあり、そのサーバーを米軍が急襲し、「不正」の証拠を押収した、という話のようです。

米軍がヨーロッパ、しかも、ドイツ有数の大都市であるフランクフルトで軍事行動を行えば、それこそ、第二次大戦以来の大事件として全世界のメディアが大々的に報じるはずですが、少なくとも、大新聞や地上波テレビなどのメジャーなメディアでは、この件についての報道は一切ありませんでした。もちろん、このジャーナリストがツイートしたような内容の事件は、実際には起きていません（少なくとも、実際にそうした事件が起きた確たる証拠は現在まで報告されていません）。

端的に言ってしまえば、単なるガセネタだったわけで、彼らが拡散しようとした「フランクフルト奇襲作戦」は、ごく一部の人々を除き、日本社会の大半からはほとんど相手にされずに終わりました。そもそも、そうした話が一部のネット界隈で話題になっていたことさえ知らないという人の方が多数派でしょう。

それが極めて常識的な反応だと思いますが、それでは、なぜ、大手通信社の要職を歴任したほどのベテランジャーナリストがいとも簡単に騙（だま）され、それをツイートで拡散させる醜態をさらしてしまったのでしょうか。もちろん、そこには、老化に伴う知力や認識力の衰えという個人的な事情もないではないのでしょうが、彼以外にも、〝トランプの勝利〟を主張し、嬉々としてこの種のツイートをしていたジャーナリストや言論人が何人もいたことを見逃してはなりません。

ガセネタをツイートで拡散させるだけなら、拡散させた人間が単に愚かだったというだけで話は済むのですが、二〇二一年一月初旬には、大統領選挙をめぐるガセネタを信じた一部の人たちが、米国連邦議事堂に侵入し、死者まで発生する騒動まで起きたとなると、笑い話では済まなくなってきます。

さて、前作『みんな大好き陰謀論』がおかげさまでご好評をいただいたことを踏まえ、今回、その続編を刊行することになりました。当初の企画は、前作で取り上げたユダヤ陰謀論以外のさまざまな陰謀論を俎上(そじょう)に載せるつもりでいたのですが、昨年秋以降の情勢を鑑(かんが)み、今回は、昨年の大統領選挙をめぐって流布したガセネタの元になっている陰謀論、なかでも、Ｑアノンと「ディープ・ステイト」の問題点について、歴史的・宗教的な背景も踏まえて、じっくりと考えてみることにしました。

前作の刊行後、大多数の方が好意的に拙著を受け止めてくださったのに対して、陰謀論に完全に侵されてしまったごく少数の人々が、私と同書に対して支離滅裂な誹謗(ひぼう)中傷を繰り返しています。その体験から、私は、あらためて、拙著の内容の正しさが証明されたと確信するとともに、愚かで、なおかつ危険な陰謀論の蔓延(まんえん)を防ぐ「ワクチン」を広めていかねばなるまいとの思いを強くした次第です。

本書を通じて、そうした陰謀論に対する免疫を強めるとともに、我々日本人にとって最も重要な外国のひとつでありながら、必ずしも十分に理解されているとは言えない米国、特にその現代史について、いささかなりとも、皆さんに新たな視点をお示ししたいと思っています。

誰もが知りたいQアノンの正体　みんな大好き陰謀論II——目次

第二章　君にもなれるQアノン

第三章　Qアノン前史――保守系ネットメディアの曙（あけぼの）

第四章　ピザゲート事件――子供たちを救出……のはずが

序章

ジャーナリストも嵌(はま)った ドミニオン陰謀論

ドイツ・フランクフルトのサーバーを米軍が急襲!?

本書の冒頭でご紹介したジャーナリストやそれに類するツイートを拡散してきた人たちの情報源は、ツイッターを含むＳＮＳや、いわゆる陰謀論を垂れ流すことを専門とする一部のメディアであることがわかっています。

そうしたメディアのひとつであるナチュラル・ニュース（Natural News）は、先のツイートから一〇日後の一一月二七日付、この件に関して、以下のようなレポート（マイク・アダムズによる署名記事）を掲載しました（https://www.naturalnews.com/2020-11-27-situation-update-nov-27th-dod-vs-cia-covert-war.html）。

なお、『BonaFidr　オールドメディアが伝えない海外のニュース』（https://bonafidr.com）に「【オピニオン記事】国防総省 vs. ＣＩＡ　フランクフルトで銃撃戦　ディープステートに対する隠密戦争が世界中で猛威」（一一月二九日付）として日本語訳が掲載されていましたので、以下、その一部を引用します。

まさにこの瞬間、隠密戦争が世界中で猛威をふるっている。穴を穿（うが）とうとするトランプの国防総省（ＤＯＤ）と国防諜報（ちょうほう）機関（ＤＩＡ：Defense Intelligence Agency）対、ＣＩＡを動かしているブラックハット（悪者）のディープステート派閥との間で。

良いニュースは、トランプが勝っているということだ。

すでに知られているように、国防総省は、ＣＩＡがフランクフルトで運営しているサーバ・ファーム（サーバが設置された施設）に奇襲作戦を仕掛けた。ＣＩＡが二〇二〇年の選挙に介入したこと（つまりドミニオン投票機械を使って選挙結果を不正操作するバック・ドア）を示す確たる証拠が保管されたサーバを保護するためだった。しかし今、サーバ・ファーム施設で銃撃戦があったという新たな情報が表面化してきている。これには米陸軍特殊部隊の複数のユニットが関与し、この施設を防衛するための緊急活動としてアフガニスタンから送り込まれた、ＣＩＡから訓練を受けた準軍事部隊と交戦した。

この銃撃戦で一人のＣＩＡ職員が殺害されたが、現在、彼は主流メディアで「ソマリアで殺害された」と報道されている。五人の米国陸軍兵士も殺害された。彼らは、エジプトで起きた「ヘリ墜落事故」で死亡したと説明されている。

【編集部：ＣＮＮは次のような報道を行っている】

■ＣＩＡ職員がソマリアの戦闘で殺害された

■七人が殺害される。うち五人は米国人。エジプトの平和維持部隊が関わるヘリコプター

墜落で

（引用者内藤註：以上■項目はＣＮＮのリンク先。「墜落で」で切れ、改行されているのも原記事ママ）

死者が出たが、これら複数のサーバは国防総省により無事に押収された。そしてこれらサーバは、トランプ大統領のプライベートな諜報組織に引き渡された。この組織は、あらためてマイケル・フリン中将によって率いられている。彼は最近、恩赦を受け、彼のセキュリティー・クリアランス（機密取扱者の保全許可証）が回復したため、現在は最重要機密の情報を扱うことが許されている。（以下略）

冒頭でご紹介した著名ジャーナリストなどは、この種の記事やネット情報をほぼそのまま、無批判に日本国内で拡散していたのです。

しかし、幸か不幸か、彼らが拡散しようとした「フランクフルト奇襲作戦」は、ごく一部の人々を除き、日本社会の大半から、ほとんど相手にされずに終わりました。そもそも、そうした話が一部のネット界隈で話題になっていたことさえ知らない人の方が多数派でしょう。

あるいは、「聞いたことはあるけど、本当のところはどうだったの？」という人もいるかもしれません。この点については、「事実無根のガセネタです」と一言で片づけたいところですが、そうもいきません。もちろん、老化に伴う知力や認識力の衰えという個人的な事情もないではないのでしょうが、彼以外にも、〝トランプの勝利〟を主張し、嬉々としてこのツイートをしていたジャーナリストや言論人が何人もいました。そこには、一定の背景事情があると見るべきです。

良くも悪くも、現在なお、米国は世界一の大国で、米国の映画・小説・製品が日本に輸入されて人気を得ることは珍しくありません。

米国で好評のものが日本でもそのままヒットするとは限りませんが、映画やネット動画の広告で「全米が泣いた！」とのコピーは、もはや慣習化した定型句になっています。米国人はどれほど泣き虫なんだとツッコミを入れたくなりますが、それでも、「全米が泣いた！」映画や動画が公開されれば、日本人の多くがそれを喜んで鑑賞します。

昨今の米国をゆるがした一大思潮（?）のキーワード「ドミニオン」、「フランクフルトで銃撃戦」、「ディープ・ステイト（闇の組織）」などが、日本にも上陸して、ツイッターや一部のネット社会では大変に盛りあがったのも故なきことではないのです。

陰謀論

集計マシーン製造企業ドミニオン社が票を不正操作したためにトランプが負けた！

トランプ敗北の裏にドミニオン社の陰謀!?

日本では、選挙用機材を独占的に提供しているムサシの陰謀がささやかれます。これについては拙著『みんな大好き陰謀論』(ビジネス社、二〇二〇年)の冒頭で触れましたが、その北米版がドミニオン社です。

ドミニオン社(Dominion Voting Systems Corporation:ドミニオン投票システム社)は、二〇〇二年、ジェームズ・フーバーとジョン・プロスがカナダのトロントで創業した新興企業です。社名のドミニオンは普通名詞としては英国の自治領を指す語ですが、この場合は、特にカナダ自治領を意味するネーミングと推測されます。現在のカナダ国家の原型として、一八六七年に英領北アメリカ法が制定され、上カナダ(現在のオンタリオ州)、下カナダ(現在のケベック州)、ノヴァスコシア、ニューブラウンズウィックといった英領植民地を統合してカナダ自治領が発足しました。それで、カナダには〝ドミニオン〟を名乗る企業や団体が数多くあるのです。コロンブスにちなんで、米国にコロンビアを冠した地名や社名が多いのに似た現象です。

ドミニオン社が創業した二〇〇二年当時、カナダの総人口は三一三六万人で、面積にして二〇分の一に満たない米カリフォルニア州の三五四二万人に及びませんでした。現在でも国であるカナダより一州にすぎないカリフォルニアの方が多くの人口を擁しています。

このようにカナダは人口が希薄ですから、個々の投票所で扱う有権者の数も決して多くはなく、票の集計は昔ながらの手作業で行われていました。おそらく、機械を導入するまでもないと考えられていたのでしょう。投票集計システムの業者もほとんどありませんでした。

市場の空白に目を付けたドミニオン社は、自社の集計システムを自治体に売り込み、あっという間にカナダの投票集計機器のトップメーカーになりました。

そして、二〇〇九年、米国の投票機械市場で六〇パーセントのシェアを誇っていた大手投票機メーカーES＆S（Election Systems & Software）社が、一四〇〇の管区域を顧客としていたプレミア・エレクション・ソリューション社を買収すると、米司法省はこれを独禁法違反として摘発。このためES＆S社は、やむなく買収したばかりのプレミア社を売却せざるをえなくなりました。

これを千載一遇のチャンスととらえたドミニオン社はプレミア社を買収。さらに、翌二〇一〇年にはカリフォルニア州を地盤とするセコイア社を買収し、米国市場への本格的な進出を開始しました。その結果、二〇一六年の大統領選挙の際には、全米で一六〇〇の管区域がドミニオン社の集計機器を購入。米国内でも投票集計機器メーカーとしては大手の一角に躍り出ます。

ここで注目しておきたいのは、ドミニオン社の集計機は、トランプが落選した二〇二〇年秋の選挙で初めて導入されたのではなく、トランプが当選した二〇一六年秋の選挙でも大々的に使われていたということです。トランプが勝っても負けても、少なからぬ選挙区でドミニオン社の機器が使用されていたということは、それ自体、ドミニオン社が適切な集計を行っていたことの傍証になっているとみることができます。日本でも、自民党が勝とうが敗けようが、ムサシの投票集計機が使われていたのと同じ状況になりますね。

それでも、これまた日本と同じですが、選挙で負けた側はいろいろな難癖をつけたがるものです。米国でも二〇二〇年一一月にトランプ現職大統領が敗北すると、「投票の集計マシーンを扱う大手企業ドミニオン社が票を操作したのではないか」と疑う人が出てきました。

この類の話は選挙の直後から自然発生的に出てきたものと思われ、投票から九日後の一一月一二日、親トランプ派のケーブルテレビ、ワン・アメリカ・ニュース・ネットワーク（One America News Network。以下、OANN）が、選挙監視団体のエディソン・リサーチが入手した〝検査されていない（unaudited）データ分析〟を根拠として、次のように報じました。

「ドミニオン社は二七〇万ものトランプ票を全米で削除した。データ分析によると、ペンシルヴァニア州では二二万一〇〇〇のトランプ票がバイデン票に書き換えられ、九四万一〇〇〇のトランプ票が消去された。ドミニオン投票システム社を使っている州では、四三万五〇〇〇票がトランプからバイデンに書き換えられた」

それをトランプ本人が引用したことで、急速に拡大しました（次頁上図。以下、FOXニュースの件も含めて、Giles, C. and Horton. J,“US election 2020 : Is Trump right about Dominion machines?”, https://www.bbc.com/news/election-us-2020-54959962を参考にしています）。

　これに対して、エディソン・リサーチのラリー・ロシン社長は、「我が社はそのような報告書は作成しておらず、有権者による不正行為の証拠は一切持っていない」として、ＯＡＮＮの記事に真っ向から反論しました。

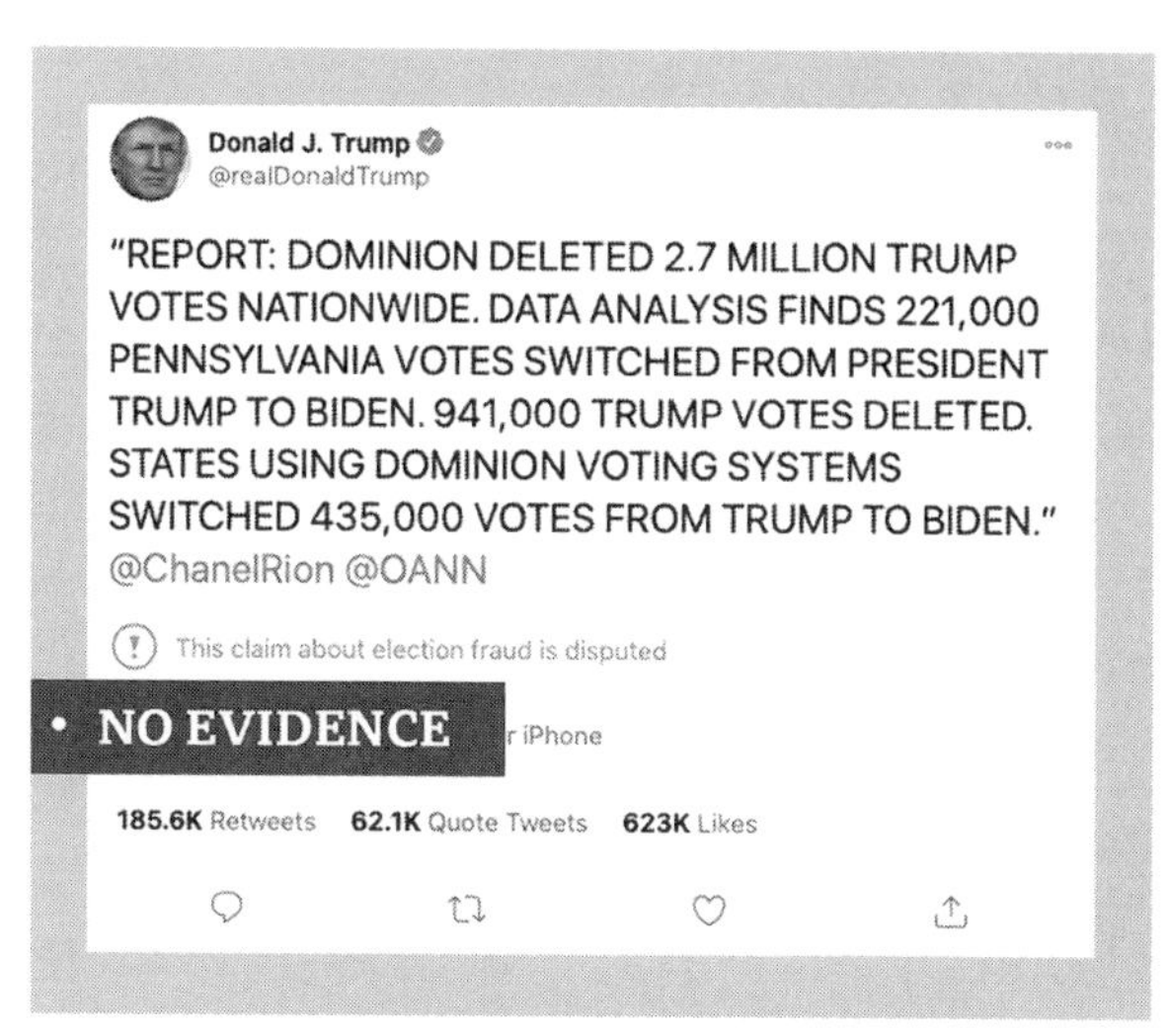

OANNの情報を拡散したトランプのツイート。BBCのサイトでは“根拠なし”の表示とともに紹介されている。

　ＯＡＮＮに関しては、ペンシルヴァニア大学アネンバーグ・パブリック・ポリシー・センターが非営利で運営しているサイト、Factcheck.orgに二〇二一年二月一一日付で投稿されたまとめ記事（By Angelo Fichera, A. and Spencer, S. H., “OANN Report Features Baseless Assertion of Election Fraud by Algorithm”, https://www.factcheck.org/2021/02/oan-report-features-baseless-assertion-of-election-fraud-by-algorithm/）で、キャスターのクリスチャン・ボブが「〝数学者〟のエドワード・ソロモンが〝管区レベルでの選挙結果を詳細に調査した〟ところ、〝コンピュータのソフトウエアに投票を変更するアルゴリズムが使われていた〟との結論に至った。アルゴリズムは〝選挙結果を覆すには十分なほど長時間〟使われた」と報じたことが取り上げられています。

ここで名前の挙がっているソロモンは自らのSNS上でニューヨーク州立大学ストーニーブルック校（ストーニーブルック大学）の関係者だったと主張しています。一部の保守系メディアの間では〝数学のエキスパート〟とされています。ところが、大学当局によると、彼は二〇〇八年から二〇一五年にかけて同大の数学専攻の学生としていくつかの授業には出席したものの、卒業していないとのこと。そこで、メディア等が裏付け取材をしたのですが、ソロモンは自分の学歴問題や、先の発言の根拠となる資料の提示などには一切応じていません。

また、ソロモンがOANNの番組のフリップで示したジョージア州フルトン郡のデータは、OANNが根拠と主張としていたエディソン・リサーチのものでもなければ、ジョージア州が公式に発表したものでもありませんでした。いずれにせよ、ソロモンの主張の根拠となるデータは出所が不明なわけです。

ちなみに、ソロモンは投票結果改竄（かいざん）のサンプルとして、ジョージア州フルトン郡一〇J管区の、バイデン候補九四パーセント、トランプ候補五パーセントという結果を示しています。しかし二〇一六年の選挙では、同管区での投票結果はクリントン候補九六パーセント、トランプ候補三パーセントですから、この地域は、共和党が強いとされてきたジョージア州の中でも、もともと民主党の地盤だったと考えるのが自然で、この結果から投票の改竄を主張するのは無理があります。

冷静に考えてみれば、日本でも、企業や官公庁のパソコンにはＩＤとパスワードを入力しないとログインできないようになっています。重要な書類に関しては、変更履歴が確認できるのが普通です。米国では、訴訟のリスクもあって、日本以上にセキュリティーの管理が厳重な場合がほとんどですから、不正なアクセスやデータの改竄があれば、ログイン情報や変更履歴を公表すれば、すぐに事実として確認できるはずです。しかし、集計マシーンの不正操作を主張する人たちから、そうしたデータが提示されたことはなく、彼らの主張は今もって証明されていません。

もちろん、個別の事例としては、実際に集計結果が正しく出ていないところもありました。

BBCのサイトで“誤解を招く”との注釈付きで紹介されたFOXニュースのサイト画像。

たとえば、保守系メディアとして知られるFOXニュースでは、番組司会者のショーン・ハニティーが、「ドミニオン社の投票機を使用したミシガン州アントリム郡では、本来、トランプと共和党の票として数えられるべき六〇〇〇票がバイデンと民主党の票にカウントされていました。ミシガン州内の四七の郡でも同じソフトウエアが使われています。これらについてもすべてチェックしなければなりません」として、州レベルで大規模な〝不正〟があったことを示唆しました（前頁上図）。

この報道を受けて、ミシガン州のジョセリン・ベンソン州務長官が調査したところ、たしかにアントリム郡では投票に問題が生じたものの、郡の職員が投票機の報告機能を正しく使えず、バイデン氏が三〇〇〇票差でリードしているという誤った報告が最初に発表されてしまったことがわかりました。同郡では共和党支持者が多いのに、この結果はおかしいのではと不審に思った選挙委員が気づき、機能を正常化して集計をやり直したところ、トランプが二五〇〇票差でリードしていることが明らかになったため、直ちに確認・訂正された集計結果が発表されたそうです。

要するに、ドミニオン社のシステムとはまったく無関係の人為的なミスでした。ベンソン長官は、仮にこの段階でミスが発見されなかったとしても、その後の確認プロセスの中で誤りは検知されていただろうと説明しています。

ドミニオン社が不正を疑われる根拠として、新参の外国企業であることに加えて、「ドミニオン社は民主党に献金している」「民主党関係者を雇用し、社内スタッフにいる」などと主張する人もいます。しかし、票の集計マシーンを製造する会社ですから、わざわざ反対陣営から疑われるような人材を登用すれば、中立性が疑われて自殺行為にしかなりません。

実際、二〇二〇年の大統領選挙に関して、ドミニオン社は公式サイトで声明文を発表しています（https://www.dominionvoting.com/election2020-dominion-secure-facts/）。その冒頭に記載されている「ドミニオンに関する大切な事柄」では、まず、〝誇りある米国企業〟として中国やベネズエラとは一切の取引がないことを明言し、次いで、「ドミニオンは、いかなる政治的党派に属する公人やその家族とも、一切のビジネス上の関係もなければ、（株式など資本上の）所有関係もありません」として、政治的な中立性を厳格に守っていることが謳われています。

これに呼応するかのように、ドミニオン社のスポンサーではないかと疑われたクリントン財団（民主党のビル・クリントン一家が主宰する慈善団体）も声明を発表し、「ドミニオン社の株式を保有したことは一度もなければ、同社の経営に関わったこともない。現在、協力体制にあるわけでもない」として、疑惑を一蹴しています。

なおドミニオン社は二〇一四年、クリントン財団に寄付をしています。これは途上国に選挙技術を導入するための慈善的な献金と説明されており、同社のビジネス内容を考えれば自然なものでしょう。その一方でドミニオン社は、共和党幹部のミッチ・マコーネル上院院内総務が統括する上院委員会にも献金を行ってバランスを取っています。

また、民主党のナンシー・ペロシ下院議長の元側近がドミニオンに雇われていることなども疑惑の要因となっています。しかし共和党と関わりのある人物もまた雇用されており、この点でもドミニオン社は慎重に政治的中立性を維持しようとしています。

（民主党系の）クリントン財団に献金した、民主党系の人を雇っているという事実があるにせよ、ドミニオン社は民主党だけに献金、民主党系の人だけを雇用しているわけではないのです。したがって、そのことを根拠に「ドミニオンは民主党に牛耳（ぎゅうじ）られている」と言うことはできません。

ドミニオン社の不正操作が証明できないということが明らかになってくると、新手の陰謀論が出てきました。

陰謀論
ドミニオン社製品で使用される票読み取りソフトは、スマートマティック社の提供による。スマートマティック社の会長、ピーター・ネッフェンジャーはバイデン陣営のボランティアをしており、政権移行チームのメンバーにもなった。ドミニオン社自体は無実だが、同社の関知しないところで、製品のソフトを通じてバイデンとつながりの深い人物が票を操ったのだ。

たしかに、ピーター・ネッフェンジャーは民主党の非常に有力な支援者・関係者です。しかしこれは一言で論破できます。

スマートマティック社はドミニオン社の子会社ではなく、むしろソフトウェアに関しては、同業他社として競合関係にあります。

まさに、火のないところに煙を立てた例と言えるでしょう。

ドイツでCIAとデルタフォースが銃撃戦!?

このようにドミニオン社が不正を働いて、本来はトランプが勝っていた選挙をバイデンの勝利にしてしまったという主張を続けることは無理となったわけです。それでも陰謀論者はまだあきらめません。そこで出てきたのが、冒頭でもご紹介したツイートにもつながる、こんな話題です。

陰謀論	**ドミニオン社にスペインのIT企業サイトルがソフトを提供している。このサイトル社がサーバーをドイツにおいており、これを米軍が差し押さえた。**

そもそもドイツにあるサーバーを米軍が差し押さえられると考えることがナンセンスです。この件に関しては、先にご紹介したナチュラル・ニュースなどが「サーバーを守っていたCIAの傭兵部隊と米軍の最精鋭部隊デルタフォースが銃撃戦に至った」、「CIA側は一人、デルタフォースからは五人の死者が出た」のような話を垂れ流し、一部のSNS利用者の間ではまことしやかに伝わっています。冒頭の著名ジャーナリストのツイートなどは、その代表的な事例です。

しかし、冒頭でも述べたように、フランクフルトと言えばドイツの空の玄関口、国際空港がある主要都市です。そこにドイツ政府の許可なしに、外国の軍隊が乗り込むことは重大な主権の侵害で、現代社会では許されるものではありません。

冷戦時代の一九七九年、ソ連軍がアフガニスタンに侵攻し、革命評議会議長（国家元首）のハフィーズッラー・アミーンを殺害し、ソ連の意向に忠実なバブラク・カルマルを大統領兼首相とする親ソ体制を樹立しました。一見、国家主権を無視した蛮行のように見えますが、ソ連とアフガニスタンの間では、前年の一九七八年に善隣協力条約が結ばれていました。その規定によるとアフガニスタン国内が混乱に陥った場合には、アフガニスタン政府の要請なしに、ソ連が独自の判断で軍隊を派遣して事態を鎮静化させることができる〝内乱条項〟がしっかり入っていました。したがって、道義的な是非善悪はともかく、法的・制度的な形式上は、ソ連軍のアフガニスタン侵攻は合法的なものだったとも言えるのです。それでも国際社会はソ連の蛮行を非難し、翌一九八〇年のモスクワ五輪をボイコットしました。

現在の米国とドイツの間には、当然のことながら内乱条項を含む条約は存在しません。たしかに第二次大戦後、一九九〇年に東西ドイツの統一が実現されるまで、ベルリンは法的には米ソ英仏の四カ国に占領されている状態にありました。その当時のベルリンならともかく、東西ドイツ統一後は、占領状態は名実ともに終結し、占領軍は撤退しています。もちろん在独米軍はありますが、市街地でいきなり銃撃戦を始め、多数の死者を出すなどありえません。日本に置き換えるなら、在日米軍が羽田から近い湾岸お台場エリアで銃撃戦……のようなイメージです。「フランクフルトで銃撃戦」に相当する事件が本当にあったのなら、メルケル首相以下、全ドイツ国民が激怒して、米国との戦争になってもおかしくありません。

当然、日本でもNHKをはじめ各局で大ニュースになるはずです。しかし、そんなことを報道をしている大手メディアはない。これを、闇の組織ディープ・ステイトの陰謀で巧みに秘匿されているという人もいるようです。

しかし、考えてもみてください。現在の中国政府はチベット人やウイグル人への人権侵害の事実をひた隠しにしようとしています。それでもドローン映像などで強制収容所に連行されていくウイグル人の行列が撮影され、全世界に動画として配信される世の中です。それほどまでにインターネットが全世界を覆いつくしている現在、言論の自由が保障されている西側世界の有力国であるドイツでの大事件を完全に隠し通すことなど、物理的にまず不可能でしょう。

仮に銃撃戦が実際にあったとして、CIA側は一人しか死んでないのに、デルタフォースが五人も死んでいるというのもおかしな話です。たしかにCIAには、秘密活動を含む軍事作戦を専門に行う特殊作戦グループ（SOG）が存在することは事実です。それでもこの被害状況は、米軍の最精鋭部隊デルタフォースにしては弱すぎではないでしょうか。

これらはいずれも冷静に考えれば〝おかしな話〟です。日本でも冒頭のツイートのように、大手メディアでも記事を執筆している著名ジャーナリストがまことしやかに伝えてしまったことで、信じてしまった人も多かったようです。

そんなツイートや記事を見聞きした別の著名人が、またまた「すごいね〜」と無批判に情報を右から左に流します。ジャーナリストでも研究者でもなく、その道の素人であれば罪は軽いとも言えますが、お笑いタレントだろうが小説家だろうが「著名人」の言動は拡散力があるという意味で重みがあります。情報を信じる人がさらに多く出てきて、拡散に輪をかけます。

さらに、サイトル社のサーバーの件ですが、一一月一三日付で同社のサイト（https://www.scytl.com/en/news/）に公開された説明によると、同社の顧客には米国の州や郡などの一部が含まれており、同社は各選挙管理当局が集計した得票データを、有権者など向けにオンライン表示したり、海外や遠隔地の有権者向けに電子投票用紙を配布・返送したりする業務などを行っています。そして、こうした業務用のサーバーは、「物理的に米国内にあり、米国の子会社が管理」しており、米国内の開票や集計などの作業には一切関わっていないとあります。

さらに米軍が捜索したとされるフランクフルトには、同社のオフィスもサーバーも存在せず、「（本社がある）バルセロナや、（今回の事件があったとされる）フランクフルト、その他の場所で、米陸軍が我が社から何かを押収したこともない」と断言しています。

また翌一四日にAP通信が配信した記事では、米陸軍の報道官も「フランクフルトでの捜索・押収」について「そのような主張は虚偽だ」と明言しました。

このように、これらの陰謀論では、ことごとく基本的な前提が成り立っていません。「〇〇に違いない」との想像・妄想で発信しているとしか思えない。

なおドミニオン社は、同社が不正を行ったと主張しているシドニー・パウエル弁護士に対して巨額の損害賠償を請求しています。

ちなみに、パウエル弁護士によると、トランプ大統領と国防総省は、不正選挙と選挙に関する国家反逆罪の証拠を入手するため、サイバー戦争プログラムの〝クラーケン〟を使って〝米国の敵〟に対するハッキングを行っているとのこと。

そしてパウエルは「クラーケンを発動する」と、クラーケンによって明らかになった選挙不正の証拠を公開すると主張したのです。

クラーケンとは、もともと伝説の海の魔物のことで、しばしばダイオウイカの姿で表現されます（上図）。

クラーケンをデザインしたカナダのコレクター向けの10ドル銀貨。2020年発行。王立カナダ造幣局は米国大統領選挙とは無関係にこの銀貨をリリースしたが、それから間もなくして、パウエル弁護士の「クラーケンを発動する」発言でにわかに注目を集めることになった。

しかし、パウエルの言うクラーケンは、〝米国の敵〟に関する情報を入手するため、コンピュータや携帯電話にハッキングするためにCIAや国防総省が使っているとされるプログラムのことで、同プログラムには、ウイルス・ソフト、トロイの木馬、遠隔操作システムなど、さまざまなかたちのマルウェア（悪意あるソフト）が含まれているとされています。

二〇一七年にウィキリークスが公開したCIA文書の中には、二〇一二年のフランス大統領選挙に関して、ニコラス・サルコジ大統領を含むすべての主要候補者に関して、クラーケンを用いて盗聴を行うよう命じた文書もあるとされています。

もしウィキリークスの情報がすべて正しかったとして、二〇二〇年の米国大統領選挙でクラーケンによるハッキング調査が行われた具体的な証拠はありません。仮に大統領の命令によりクラーケンが発動されて対立陣営の情報が集められていたとしたら、ウォーターゲート事件と同様の大スキャンダル。トランプが辞職に追い込まれることは必定です。それに、そうした機密情報をパウエル弁護士が入手できるとは思えません。実際、彼女が提示してきた〝不正の証拠〟は、裁判ではことごとく却下されています。

米国の選挙には実際に「不正」が、あるにはあるのです。おそらく日本よりもはるかに多い。しかし、その大半は手違いや間違い程度の細かいものやローカルな選挙違反の類であって、ネットやある種のメディアで面白おかしく誇張して語られるような、そして、選挙結果をひっくり返すほどの大規模で意図的な不正は、現時点では確認されていません。

トランプは投票用紙にGPSを仕込んでいた⁉

票の操作に関して、こんな陰謀論もあります。

> **陰謀論**　**中国で印刷された偽の投票用紙が出回っている。しかし、本物の投票用紙にはGPSが仕込まれているから、追跡できる。したがって、不正はまもなく明らかになる。法的手続きに入れば、トランプの勝利は確実である。**

投票用紙のような薄い紙に漉（す）き込むことができる薄型GPSが開発されれば、ノーベル賞級の大発明です。巷（ちまた）に流布している話から想像するに、これを言い出した人は郵便で使用する赤外線探知インクと勘違いしたのではないかと思われます。

海外からの郵便物にバーコードがついているのを見たことがありませんか。米国内でも、これによって所定の送り方をすれば、どこの郵便局で受け付け、いつ配達されたかといった配達状況がチェックできるようになっています。

日本ではバーコードが見えませんが、実は透明の赤外線透過インクを噴射しており、機械で読み取り、配送状況を管理しているシステムは同じです。郵便物を汚さないよう繊細な配慮がなされているのです。

米国人にとって郵便物は届けばＯＫ、美観はどうでもいい。切手を複数貼るときに横に貼ったり縦に貼ったりして平気な人たちですから、バーコード印刷の有無など気にすることではないのでしょう。

話が少しそれましたが、おそらくＧＰＳ云々の話は、この赤外線インクとの混同から生まれたものでしょう。そして、投票用紙にもたしかにバーコードがついています。

いずれにしても、ＧＰＳ機能のついた紙を作る技術ができたら、投票用紙より先にまず高額紙幣（の札束を束ねる用紙）や有価証券に入れるのではないでしょうか。こちらのほうが不正使用されて困るものとしての優先順位は高いはずです。

仮に超薄型ＧＰＳが実用化されたとして、膨大な数の投票用紙に入れるには、どのくらいの費用がかかるのでしょうか。それ自体に本来なんの価値のない使い捨ての紙切れより、もっと違うところにお金を使うのではないでしょうか。常識的に考えて、ありえない。

「投票用紙にＧＰＳが……」が本当なら、その技術の開発者・特許保持者が、近々ノーベル賞を受賞するであろうことを期待してお待ちしたいと思います。

歴代大統領と世界の要人が逮捕された!?

ありえないシリーズの極めつけは大物逮捕です。

陰謀論

トランプはディープ・ステイトに勝利した。バラク・オバマ、ヒラリーおよびビル・クリントン、ジョー・バイデン、フランシスコ・ローマ教皇、エリザベス女王が逮捕された（そして、処刑された）。CIA長官も逮捕された。これらの人々はダブルにすり替えられている。

歴代大統領やCIA長官、さらには世界の要人が逮捕されたというのですが、実際には逮捕などされていません。

そんなことが本当に行われたら世界的大ニュースになっているはずです。株価も大暴落するでしょう。ところが現実は、株価は好調です。もっとも、バイデン政権は規制を強め、増税する方向の政策をとると公約に掲げていましたから、その通りであれば、将来的には景気が冷え込み、株価は下がる可能性が高いと思います。しかし、二〇二一年三月初めの時点では、混乱が収まったとの市場の判断、および、バイデン政権初期に行われるであろう財政政策（環境関連への投資拡大）への期待で上がっています。

それとも陰謀論が唱えるように、全員ダブルなのでしょうか。だとすると、そちらのほうがディープ・ステイトより怖くありませんか。ヒトラー、スターリン、毛沢東を超える独裁者。もはやSFファンタジーの世界です。

常識的にありえない話ですが、常識と乖離（かいり）した人がこの世には多数存在しているようです。

第一章

大統領選挙、負けても勝ったとQアノン

二〇二〇年大統領選挙、未曾有(みぞう)の実績を挙げたトランプ政権が敗北

二〇二〇年一一月の大統領選挙では、共和党から現職大統領ドナルド・トランプ、民主党から元副大統領ジョー・バイデンが立候補し、バイデンが当選しました。米国の政治に通じている人ならば当初からの予測通りであり、何も騒ぐことはない結末です。

これに対して怒っている人たちがいます。いろいろな評価の仕方があると思いますが、今回の勝負は、決してトランプへの支持が前回の大統領選挙時に比べて下がったわけではなく、バイデン（ないしは反トランプ連合）が票を伸ばして勝ったというべきでしょう。

というのは、二〇一六年の大統領選挙のとき、トランプの得票は約六三〇〇万票でしたが、今回は七三八〇万票と一〇〇〇万票以上も上積みしているのです。これは米大統領選挙史上、二番目に多い得票数です。勝ったバイデンはそれ以上を獲得したわけですから、史上最高の得票だったということになります。ちなみに約八一二七万票と言われています。

トランプは負けたとは言え、前回より多くの有権者が投票しているのですから、トランプ政権の実績は有権者に評価されて、支持を集めたと考えるのが妥当でしょう。実際にトランプ政権は四年間でいくつもの顕著な実績を挙げています。

トランプは四年前の大統領選挙で、「メリークリスマス・アゲイン」の謳い文句とともに登場しました。その背景には、いわゆるポリコレ（ポリティカル・コレクトネス）の問題があります。

時を遡ること約一六〇年。一八六一年に米国で南北戦争が起こりました。戦争中の一八六二年、アブラハム・リンカーン大統領は奴隷解放宣言を発し、一八六五年に戦争は北部の勝利に終わります。奴隷制度を維持しようとしていた南部連合は敗北しました。しかし、米国内の人種差別はなくなりませんでした。特に南部では一八七六年以降、ジム・クロウ法と呼ばれる一連の人種差別的な州法が相次いで制定され、交通機関やレストラン、学校などで白人と黒人を分離する人種分離政策が進められます。黒人は居住地域も制限されていました。

全米黒人地位向上協会は、差別の撤廃を求めて活動します。その一環として、米国市民の立派な一員であることを示そうと第二次世界大戦では多数の黒人が志願兵として戦い、犠牲になっています。それでも南部では、黒人に対する差別は改められませんでした。

こうした状況の中で、一九五五年一二月、アラバマ州モンゴメリーで、バスで白人に席を譲らなかった黒人女性のローザ・パークスが市条例違反で逮捕されました。事件に抗議し、マーチン・ルーサー・キング・ジュニア牧師（以下、キング牧師）らがバス・ボイコット運動を展開。翌五六年に連邦最高裁がバス車内での人種分離を違憲とする判決を下すと、これを機に、黒人をはじめとする有色人種が米国市民（公民）として法律上の平等な地位を求める運動を起こし、全米に拡大していきました。

いわゆる公民権運動です。日本では、指導者であるキング牧師のイメージが強いせいか、黒人の反差別運動と思われがちです。でも実際には、米先住民（いわゆるアメリカ・インディアン）やアジア系の人々の運動も含まれています。また、運動に賛同した白人も個人として、さまざまな活動に参加しています。一口に公民権運動といっても、内容は実に多種多様なものでした。

公民権運動が展開されると、米国南部の人種差別は国内のみならず全世界的にも激しく非難されるようになりました。その結果、黒人を中心にマイノリティ（社会的少数派）にもきちんと権利を保障し、今までの差別の蓄積により受けてきた不利益を解消するために、あらかじめ、一定以上のポストなどをマイノリティに割り当てるアファーマティヴ・アクションが導入されていくことになります。

ところで、差別に反対し、格差を是正することには賛成するとしても、何が、あるいはどの程度の待遇の差が差別に当たるのか、現実の社会生活の中では、明確な線引きがしづらいケースが多々あります。

もちろん、〝法の下の平等〟を謳う近代民主主義国家であれば、人種差別に限らず、性別や本人の意思・努力では変えようもない属性による差別は許されるものではありません。また、歴史的に差別を受け続けてきたがゆえに、貧困から抜け出すチャンスを与えられてこなかったマイノリティに対する救済措置もある程度は必要でしょう。

たしかに一九六四年に成立した公民権法の下で、マイノリティの若者にも奨学金を得て大学などで学ぶ機会が大幅に拡大されました。それによってＷＡＳＰ（白人・アングロサクソン・プロテスタントの略で、歴史的に米国社会の〝主流派〟とされてきた人々）の男性でなくても、能力があり、まじめに努力すれば、医師や弁護士、大学教授などの専門職に就いたり、ビジネスで成功を収めたり、議員として当選したりすることが可能な社会が形成されてきたことは事実です。

アファーマティヴ・アクションによる格差是正措置は、マイノリティの社会進出がある程度達せられた一九九〇年代には、その役割を終えていたと言えるでしょう。

そしてあらゆる〝優遇措置〟は、それが継続されていくにつれ、既得権益化することが避けられません。アファーマティヴ・アクションもまたしかり。

アファーマティヴ・アクションが維持され続けた結果、たとえば同じ程度の成績、能力、勤務態度であれば、白人男性よりも黒人女性を優遇する、さらには多少、能力が劣っていても人種や性別ごとに割り当てられた枠があるので、黒人女性の採用が優遇され、白人男性は著しく不利な状況の下で厳しい競争にさらされるという〝逆差別〟が延々と続けられてきました。

そのうえ差別が悪であるとの社会的なコンセンサスを悪用した〝差別利権〟が副作用として生まれます。そして、まったく恣意(しい)的に、対立する相手に〝差別（主義者）〟とレッテルを貼り、黙らせようとする輩が出てきます。日本でも、被差別部落問題を悪用した〝えせ同和〟の問題があります。それと似たような構図は、どこの国でも存在するのです。

そうした彼らの最大の武器のひとつが〝言葉狩り〟です。

もちろん、どんな言語にも明らかな差別語や蔑称は存在しており、それらを公衆の面前で使うことは慎むべきでしょう。ニガーやジャップなどは、その典型です。

しかし、多くの人々が伝統的に使ってきた用語について、「政治的に正しくない」、「お前たちはそこに差別意識が潜んでいることに気が付いていない」などと、メディアでの使用禁止を求めたり、言い換えを強要したりすれば、多くの善男善女が戸惑うのは当然のことです。

こうして〝反差別〟を錦の御旗として、〝政治的な正しさ＝ポリティカル・コレクトネス（ポリコレ）〟の名の下に、一般人の感覚では首を傾げざるをえない表現規制が横行していきます。

たとえば、議長を意味する“chairman”の後半が“man”になっているのは、女性が議長になる可能性を排除したものだから、“chairperson”にしなければならない、〝黒人（black）〟は肌の色で人間を区別する人種差別的な表現なので〝アフリカ系米国人（Afro-American）〟としなければならない、などです。

これくらいの言い換えであれば受け入れてもよいのではないかという人も少なくないでしょうが、ポリコレの矛先はとどまるところを知らず、エスカレートし続けています。

この種の表現規制は一九九〇年代にはかなり進行しており、今から四半世紀以上前の一九九四年にコメディアン出身の作家、ジェームズ・フィン・ガーナーが発表した『政治的に正しいおとぎ話』（原題はPolitically Correct Bedtime Stories）は、過剰なポリコレの愚かさを痛烈に皮肉って、ベストセラーになりました。ちなみに、同書の日本語訳は、一九九五年、デーブ・スペクターと田口佐紀子の訳により、ＤＨＣから刊行されています。化粧品やサプリの会社として有名なＤＨＣですが、社名はもともと〝大学翻訳センター〟の頭文字です。

『政治的に正しいおとぎ話』は、誰もが知っているおとぎ話の中の〝差別的〟とされる表現をすべて〝政治的に正しい〟表現で書き直したものです。たとえば、「白雪姫と七人の小人」は、「雪のように白いという有色人種差別的な名前の王女と七人の垂直方向にチャレンジされた男性たち」となります。

『政治的に正しいおとぎ話』は、あくまでも思考実験として作られたもので、明らかに荒唐無稽な冗談です。しかし、過剰なポリコレを求めるリベラル派の一部は、その冗談にしか思えない話を本気で実践しようと考えているのが恐ろしいところです。

さらに彼らは、気に入らない相手の発言や文章の片言隻句を取り出し、徹底的に社会的なリンチを加えて相手を追い込もうとします。

たとえば、日本でも、二〇二一年東京オリンピック・パラリンピック競技大会組織委員会の森喜朗会長（当時）が、二〇二一年二月一二日、同三日の日本オリンピック委員会（JOC）の臨時評議員会での〝女性蔑視発言〟を理由として辞任に追い込まれる事件がありました。

森氏の話は四〇分以上にも及ぶ長いものですが、問題となった箇所を引用します。

これはテレビがあるからやりにくいんだが、女性理事を四割というのは文科省がうるさくいうんですね。だけど女性がたくさん入っている理事会は時間がかかります。これもうちの恥を言いますが、ラグビー協会は今までの倍、時間がかかる。女性がなんと一〇人くらいいるのか今、五人か、一〇人に見えた（笑いが起きる）、五人います。

女性っていうのは優れているところですが競争意識が強い。誰か一人が手を挙げると、自分も言わなきゃいけないと思うんでしょうね、それでみんな発言されるんです。結局女性っていうのはそういう、あまりいうと新聞に悪口かかれる、俺がまた悪口言ったとなるけど、女性を必ずしも増やしていく場合は、発言の時間をある程度規制をしておかないとなかなか終わらないから困ると言っていて、誰が言ったかは言いませんけど、そんなこともあります。

私どもの組織委員会にも、女性は何人いますか、七人くらいおられますが、みんなわきまえておられます。みんな競技団体からのご出身で国際的に大きな場所を踏んでおられる方々ばかりです。ですからお話もきちんとした、的を得た、そういうのが集約されて非常にわれわれ役立っていますが、欠員があるとすぐ女性を選ぼうということになるわけです。

森氏発言の趣旨は、「スポーツ団体の理事は女性の割合が四割となるように文科省から要求されている。ただし、女性の長所でもあるのだが、彼女たちは競争意識が強く、積極的に発言しようとする傾向があるため、『会議に時間がかかる』と文句を言う人がいる。しかし、私（森氏）たちの組織委員会の女性理事は、発言時間のバランス等にも配慮し、端的に的を射た発言をする人ばかりだから、欠員があるとすぐ女性を選ぼうということになる」ということです。しかし、もともと、森氏に批判的だったメディアでは「女性の多い会議は時間がかかる」との部分のみを切り取ることで、森氏が女性を大雑把に一般化し、見下したとして〝女性蔑視〟と攻撃したのです。

もちろん、森氏は首相在任中から発言の一部が切り取られて、問題発言としてメディアから叩かれてきた過去があります。本人も「あまりいうと新聞に悪口かかれる、俺がまた悪口言ったとなるけど」として、自分の発言の一部が切り取られて批判の材料とされる可能性があることを十分に承知していたと思われます。したがって、そうしたリスクを認識していながら、脇の甘い発言を行ったという点で、五輪組織委員会の長としての適格性が問われるのは当然です。

しかし、そのことと、森氏の発言そのものを女性蔑視ないしは女性軽視と認定するかどうかはまったく別次元の話です。

さらに森氏の問題については、地上波のテレビ番組で「そういうことを思ってもいけない」とする発言も散見されました。しかしこの発言は明らかに、個人の内心の自由を否定するもので、民主主義社会とは相いれないものです。

しかも森氏を批判する人たちは、同氏のことを盛んに〝老害〟と称していました。ポリコレを厳密に適用するなら、年齢という本人の努力ではどうしようもない条件を理由にした批判もまた、差別的として批判され、排除されるべきです。しかし、この点を問題にするメディアはほとんどなかったように思われます。

米国ほどポリコレ勢力が強くないといわれている日本でさえ、この有様ですから、ポリコレの本家ともいうべき米国の惨状は容易に想像がつくでしょう。一部リベラル派の主張に沿わない人々の意見は、ポリコレの恣意的な運用により圧殺されてしまいます。

二〇一六年の大統領選挙で、トランプが「メリークリスマス・アゲイン」をスローガンのひとつとして掲げたのも、「メリー・クリスマス」という表現が、過剰なポリコレと極端なリベラル派の理不尽な攻撃対象として、象徴的なものだったからでした。

「クリスマス」はキリストの誕生を祝う行事なので、そうした表現を公の場で使うことは非キリスト教徒に対する差別になる。だから、「メリー・クリスマス」という表現は止めて、宗教的には無色透明な「ハッピー・ホリデーズ」というべきだというのが、ポリコレを推進しようとするリベラルの主張です。

しかし米国という国は、もともとイングランドでの宗教迫害を逃れてきたピューリタンが宗派ごとのコミュニティとしてステイツを作り、その連合体としてスタートした国家です。それゆえ他宗教の信徒にキリスト教への改宗を強要したり、キリスト教以外の信仰を禁止したりすることは絶対に認められませんが、各人が自分の信仰を社会的に表明し、正当な競争によって一人でも多く自派の信徒を獲得しようという行為は否定されません。

キリスト教の祝日であるクリスマスだけを祝うことが問題であるなら、ユダヤ教やイスラム、仏教など、米国社会で一定の地位を占める宗教の祝祭もそれぞれ祝えばよいのです。クリスマスを否定しようというのはナンセンスです。ましてや建国のいきさつを考えれば、キリスト教徒として自分の信仰を公言することさえできないのであれば、そもそも合衆国の意味がありません。

しかし、二一世紀の米国の言論空間では、〝フツーの人たち〟が自分たちの〝常識〟に照らして、ポリコレの行き過ぎに疑問を呈することさえ、「差別」として糾弾されかねない、異常な風潮が続いてきました。そして、いったん「差別主義者」とのレッテルを貼られてしまったら最後、社会的に大きなダメージを受けてしまう。

“Merry Christmas”の文言が入った1975年のクリスマス用に発行された切手（左）。その後、ポリコレの圧力が徐々に強まった結果、クリスマス切手には“Merry Christmas”の文言は入れられなくなり、たとえば、“Season's Greetings”（季節のご挨拶）のように、切手の文言も宗教色をなくしたもの（右：1982年のクリスマス用の切手）に変更された。

どう考えても、それはおかしいのではないか。せめて堂々と「メリー・クリスマスと言える国にしよう」、トランプのそんな言葉や態度は「よく言ってくれた」と人々の心を捉えたのです。実際、二〇一六年一一月の大統領選挙に勝利したトランプは一二月一三日、ウィスコンシン州での遊説で、「一八カ月前、私はウィスコンシンの聴衆にこう言った。いつかここに戻って来たときに、我々は再び『メリー・クリスマス』と口にするのだと。……だからみんな、メリー・クリスマス！」と語り、喝采を浴びました。

これを皮切りに、二〇一七年一月、米国大統領に正式に就任したトランプは、過剰なポリコレを抑制してきました。その結果、二〇二一年一月の任期満了まで、リベラル派や彼らの牙城である大手メディアや言論界からは「差別主義者」との攻撃を受け続けることになるのです。

ポリコレについての話がいささか長くなりましたが、Qアノンをはじめとする陰謀論が台頭してきた重要な社会的背景のひとつとして、記憶にとどめておいてください。

これ以外にもトランプ政権の四年間については、評価すべき政策が多数あります。

まず経済面では、規制緩和および大幅減税を行いました。

「二対一ルール」と呼ばれる基準を設け、いらない規制をどんどん削減しました。これについて詳しくは渡瀬裕哉さんの『税金下げろ、規制をなくせ　日本経済復活の処方箋』（光文社新書、二〇二〇年）を参照していただきたく思います。簡単に説明すると、ひとつ規制を作るためには二つ既存の規制を廃止しなければならないというルールです。

さらに大幅な減税によって景気が回復し、それに伴って雇用状況、特に有色人種の雇用が改善されました。

内政面の成果だけでも著しいのですが、外交面での成果はもっと目覚ましいものがありました。

特筆すべきは、対中国政策でしょう。これまで中国は米国の知財を盗み放題と言ってもいい状態だったのに、トランプ政権になってから歯止めをかけるべく制裁を発動しました。これにより米国の損失を取り戻すとともに、中国に進出した米国企業を国内に呼び戻し、国内の雇用を拡大しようとしたのです。

また、中国は米国人にとって重要な価値観である人権と民主主義をないがしろにしていることは周知の事実です。しかし、トランプ以前の米政権は「中国も経済成長すれば、いずれ民主化して人権も尊重するようになるだろう」との根拠のない楽観論で中国の人権侵害を黙認していました。これに対してトランプ政権は正面から中国に圧力をかけるため、ウイグル人権法・香港人権法・チベット人権法を通過させました。弾圧に責任ある中国当局者を特定し、彼らの米国内の資産を凍結させ、米国への渡航を禁止する法律です。

同じく東アジア関連では二〇一八年六月、史上初の米朝会談をシンガポールで開いたことは、会談の成果に対する評価はともかく、ひとつの実績と言えるでしょう。続いて翌年二月にも第二回米朝会談がベトナムのハノイで開かれています。同年六月、第三回目が板門店で開かれています。

中東に関しては、まず二〇一八年五月にトランプは、オバマ政権下に行われたイランとの核合意から離脱しました。賛否が別れますが、これも大きな実績には違いありません。

二〇二〇年にはイスラエルとアラブ首長国連邦（UAE）、バーレーン、スーダン、モロッコといったアラブ諸国との間の国交正常化を仲介しました。

また、カタールがアラブ四カ国（エジプト、サウジアラビア、UAE、バーレーン）と三年半ほど断交していたものを二〇二〇年一月、トランプ政権の仲介により和解が成立しています。

ヨーロッパでは、二〇二〇年九月、硬直していたセルビアとコソボの間を取り持ち、経済関係正常化の合意を取りまとめました。

そして、お膝元のカリブ海では、二〇二一年一月、キューバをテロリスト支援国家に再指定しました。

バイデン新大統領の就任式が行われる前日の一月一九日、中国がウイグルで行っている人権弾圧を〝ジェノサイド（大量虐殺）〟と認定したことは、トランプ政権が任期内ぎりぎりまで大仕事をしていたことを雄弁に物語っています。

淡々と並べましたが、四年間の実績としては相当なものです。たとえ倍の八年かけても、これだけの実績は、なかなか挙げられるものではありません。

立場によって個々の「実績」の賛否や評価は分かれるところですが、政権の業績として列挙する価値のあるものばかりです。

それによってトランプは約一〇〇〇万票も上積みしたわけです。そんな目覚ましい実績を挙げたトランプが大統領に再選されなかった。支持者が納得できない気持ちもわかります。

ただ、くどいようですが、対立候補のバイデンが、それ以上の票をとったためにトランプは勝てなかったのです。だから、今回の選挙はトランプが負けたというより、バイデン、もしくはトランプの強烈なキャラクターが嫌いだというアンチ・トランプが勝ったと見なすべきです。

「同じじゃないか」

たしかに負けた事実に変わりありません。

「こんなに業績を挙げているのに、なぜトランプではなくバイデンに票を入れる人が多いのか」

それには昨今の米国事情が反映しています。

金より#MeToo

トランプ対バイデンの大統領選挙の前にも、米国では州レベルの地方選挙（知事選挙・議会選挙）がありました。コロナ以前の米国が好景気・株高で、雇用も非常によかった頃の選挙です。

しかし実は、その時期にも共和党候補がしばしば落選しているのです。

たとえば、大統領選挙の約一年前、二〇一九年一一月五日に行われたいくつかの選挙のうち、保守色が強いとされてきたケンタッキー州の知事選で、民主党のアンディ・ベシア州司法長官が共和党の現職マット・ベヴィン知事を得票率〇・四パーセントの差で破っています。ケンタッキー州は、二〇一六年の大統領選挙でトランプが勝利した州で、ベヴィン候補の応援に入ったトランプは、何千人もの支援者を前に、もしベヴィン知事が負けることがあれば、自分の批判勢力が「世界の歴史上最大の敗北」と呼ぶに違いないと演説していたほどです。

ちなみに選挙直後、敗北の事実を受け止められなかったベヴィン知事は漠然と「不正」があったと主張して、負けを認めないと話していました。トランプは、一年後の大統領選挙でまさか自分も同じ発言をすることになろうとは、この時点では夢にも思わなかったでしょう。

また、かつては共和党の牙城だったヴァージニア州の州議会選では、過去二〇年間で初めて、民主党が上下両院で過半数を獲得しています。ちなみに、このときの選挙戦では、大統領選挙に向けて民主党の候補者争いをしていたバイデンが民主党候補の応援に入りました。

一方、ミシシッピ州知事選では、共和党のテイト・リーヴス州副知事が民主党のジム・フッド州司法長官と争い、大接戦の末に勝利し、共和党としての知事職を維持しました。

こうした状況を見ると、地方選挙でも、トランプ大統領の党である共和党は一勝二敗で負け越し。つまり、トランプという看板は必ずしも選挙に強くなかったのです。雇用状況もよく、実績ある大統領の党の支持が伸びない。これは今までの米国の選挙では考えにくいことでした。

なぜか。

ひとつは選挙の争点が経済だけではなくなってきたからです。民主党は、いわゆるアイデンティティ・ポリティクスを前面に押し出した選挙戦略でマイノリティの票を掘り起こし、勝っていきました。

アイデンティティ・ポリティクスとは所得格差などを人種、性別、地域などと結びつけて有権者の分断を図り、ある種のアイデンティティを持った人々に「○○は不当だ」「○○はよくない」などと敵を作って、反感を植え付ける選挙戦術です。ポリコレとも親和性の高いやり方です。そして、「私たちの政策は○○ですから、あなたたち、××というマイノリティの人たちの権利を最大限に尊重することになるのですよ」と主張し、支持を訴えます。

そして、「ある種のアイデンティティ」は、本来そこら辺に偶然に転がっているものではなく、選挙戦術家が作り出したレッテルであるところがミソです。そんな選挙戦術に引っかかって、大きな実績が無視される世の中になってきたということです。

実際、ヴァージニア州議会選挙では、民主党候補の中に、トランスジェンダー（生まれついた性別と性自認が異なる人）であることを公にして、初の州下院議員に当選したダニカ・ロウムや、イスラム教徒の女性として初の州上院議員に当選したガザラ・ハシュミなどがいたことは、アイデンティティ・ポリティクスを前面に押し出す戦術が功を奏したことの何よりの証拠です。

なお、米国で流行ったものは数年遅れで日本でも、というのはあらゆる分野で見られる現象で、政治の世界も例外ではありません。日本の政治家の言動についても、アイデンティティ・ポリティクス的な手法を取り入れている政治家が現れてきていますので、注意深く観察してみてください。

こうした時代の変化の背景にはネット環境の発達によって、個人の発信が簡単にできるようになったことがあげられます。発信も簡単なら、リアクションも簡単です。何かをひとつ投じると、それが瞬く間に国中に、英語であれば世界中に広がる可能性を秘めています。

ポリコレが非常にうるさくなってきていることも原因のひとつです。

明らかに行き過ぎたポリコレを抑制したトランプは喝采を浴びましたが、逆にポリコレを利用して支持の拡大を図るという現象もみられます。

たとえば、二〇一七年に#MeToo（ミー・トゥー）運動が盛り上がりました。運動自体はそれ以前から細々と存在したようですが、ニューヨーク・タイムズの記者が映画プロデューサーのハーヴェイ・ワインスタインの長年におよぶセクハラを告発する記事を発表し、これが大きな反響を呼んでから有名になりました。従来なら、話を外に漏らした被害者が解雇されて終わりのところ、#MeToo「私も（被害者だ）」はSNS上を駆けめぐり、世界的なムーブメントとなりました。女優らが実名で告発を始め、被害者でない著名人の多くも好意的に呼応しました。

ただ、どこからがセクハラなのかの基準が曖昧（あいまい）で、ささいなことで告発されるなど、リンチの様相を呈している場合もあり、「行き過ぎだ」「男性が女性を口説くこともできなくなる」などの批判も出ました。また、当初の告発者自体が性的虐待の加害者だったのではと疑われるなど、さまざまな波紋を呼びながら、運動は落ち着いていきました。しかし、SNSの力を世界に示した画期的事件だったので、今でも弱者が告発する運動の代名詞のようになっています。

繰り返しになりますが、こういった女性やマイノリティといった社会的弱者に的をしぼり、社会的正義や公正を謳い、選挙の焦点にしていくのが、まさにアイデンティティ・ポリティクスの実践なのです。

経済政策で目覚ましい成果を挙げた共和党トランプ政権に対抗する軸として、民主党はこのアイデンティティ・ポリティクスを巧みに取り入れ、勝利しました。「金(かね)より #MeToo」、「職より #MeToo」です。ある程度、景気がよかったから、そういう余裕もあったと言うこともできます。逆説的ではありますが。


新しい時代の変化という意味ではもうひとつ。ネットの活用方法が民主党バイデン陣営のほうが上手でした。

民主党は、ネットを利用した小口献金をたくさん集めました。選挙資金になるのはもちろんですが、小口献金を集めることには、それ以上の意味があります。五ドルでも一〇ドルでも献金した人は必ず献金先の候補に投票します。つまり票の掘り起こしにつながるのです。

一人に一〇〇万ドルを出してもらうよりも、五〇人から五〇〇〇ドル集めたほうが票数としては大きい。こういった戦略は民主党側のほうが進んでいました。

金を払って（あるいは利権を与えて）票を買うのは買収で、古今東西に存在する方法です。逆に金をもらって票集めとは、発想の転換です。しかし、人間の心理を巧みについた作戦だと思います。

投票前投票箱が空か確認するのはどんな人？　監視の米国、趣味の日本

トランプのアクの強いキャラクターや、ツイッター上の暴言はともかく、トランプ政権は先項で述べたように経済も外交も立派にやりきりました。副大統領ペンスは政権の品位を保ち、実際に政治的にも有能で、トランプ政権が機能したのは、この人のおかげです。

その結果、前回の大統領選挙よりも多くの票を得たことは何度もお話しした通りです。それなのに、なぜ大統領選挙で負けたのか。納得できない支持者が接戦州での不正選挙を主張したくなる気持ちも心情的には理解できます。

米国の選挙には、大なり小なり不正が常にあります。日本で投票開始前に投票箱の中が空であることを確認するのは、早起きのお年寄りが趣味でやっているようなイメージですが、米国では決してお年寄りの暇（ひま）つぶしではありません。

共和党員も民主党員も疑心暗鬼。「相手が不正を働くかもしれない」と性悪説にのっとって、互いが互いを監視するためにそこにいます。両党から同人数が出て互いに牽制（けんせい）しあっているから、ズルすればバレる。バレれば、当選が無効になるだけでなく、その候補の陣営はすべてを失うの

で、そのダメージは甚大。だから実際には、滅多に派手な不正はしない。しかし、自分たちが監視していなかったら、相手が不正を働くかもしれないから見張っておくわけです。

それでも「不正」が起こる。意図的な悪事もないことはないのですが、この場合の不正とは、事務処理能力が悪くて、incorrect（不正）になってしまったケースが多分に含まれています。日本語に訳す場合に、どちらも「不正」になってしまって、それが混乱したイメージの元ともなっています。

余談ですが、パソコンの警告表示などは直訳が多いので、時々ギョッとする日本語に出くわします。たとえば昔、パスワードを間違えると、「不正なパスワードです」と出てきました。「正確ではない」という意味なのですが、日本語の「不正」は道徳的・法律的に悪いことをしたときに使われる言葉なので、反射的にムッとしたものです。

それと同じで「米国の選挙で不正があった」などのニュース記事も、注意して読んだほうがいいでしょう。悪気のない、うっかりミスも少なからず含んでいます。

投票者数が合わない⁉　デマは世界を駆け巡る

もちろん、不正やミスが疑われる場合には、もう一度チェックするよう申し立てる権利があります。

そして接戦州などでは実際に申し立てられたので、その過程でもまた、さまざまなデマが拡散されました。
大量のデマのうち代表的なものだけ挙げておきます。

デマ1　ミシガン州の一九の選挙区では投票率が一〇〇パーセントを超えた。

しかし、証拠として提出された有権者名簿は、よく見るとミネソタ州のものでした。しかも数字が全然異なり、捏造（ねつぞう）されたものでした。
たとえば下図の一番上は三五〇パーセントとなっていますが、実際には八九パーセントでした。

Precinct Township	Votes/SOS Est. Voters
BENVILLE TWP	350%
MONTICELLO P-1	144%
MONTICELLO P-2	138%
ALBERTVILLE P-2	138%
ALBERTVILLE P-1	136%
BRADFORD TWP.	104%
VELDT TWP.	104%
CHAMPION TWP	104%
KENT CITY	103%
WANGER TWP.	102%
KANDIYOHI TWP.	102%
LAKE LILLIAN TWP.	102%
HOKAH TWP.	102%
HOUSTON TWP.	101%
HILL RIVER TWP.	101%
SUNNYSIDE TWP.	101%
BROWNSVILLE TWP.	101%
OSLO	101%
EYOTA TWP.	101%

出典：https://www.bbc.com/japanese/features-and-analysis-55054609）

デマ2　ウィスコンシン州の登録有権者は三一二万九〇〇〇人なのに投票数が三二三万九九二〇人あった。

登録有権者より投票数が多いのはおかしいじゃないか、というわけです。日本でも、これを盛んに唱えて怒っている著名人がいました。

ところで、米国は有権者が登録制になっています。

日本では住民登録してあれば、一八歳以上の日本人には担当の自治体から投票所入場券はがきが郵送されてきます。それを持って指定の投票所に行くと、入場券はがきと交換に投票用紙がもらえます。

しかし米国の場合は、有権者登録をしなければなりません。個々人が登録をするので、登録日はバラバラです。早くから登録する人も締め切り間際に登録する人もいます。そして、前記デマの「登録有権者」は締め切り前の古い数字でした。

実際には、ウィスコンシン州における締め切り後の最終的な登録者数は三六八万人を超えています。その内、約三二四万人が投票ですから、問題のない数字です。もともと投票する意思がある人が登録しているわけですから、その中で何らかの事情で投票できなかった人が一割ぐらいというのは妥当な数字でしょう。

デマ3　デトロイトの開票所では、早朝、大量の票が運び込まれていた。

画像まであるのですが、下の画像は、そもそも関係ない人でした。

目撃者は一人しかおらず、開票所スタッフは何人もいるのに、他の人はみなそんなことはなかったと証言しています。証言に食い違いがあるので、裁判所でも信憑性（しんぴょうせい）は認められませんでした。

再びミシガンです。

デマ4　ミシガン州の郵便投票の中には死者一万人が含まれている。

郵便投票した死者一万人のリストが提出されていて、BBCがこれを調査しました。さすがに一万人全部を調べるわけにはいかないので、無作為抽出で

“不正な持ち込み”を報じたサイト（テキサススコアカードの画像より）。
出典：https://texasscorecard.com/federal/video-wagons-suitcases-and-coolers-roll-into-detroit-voting-center-at-4-am/

バイデンが“死者の票”によって当選したと主張する反バイデン派の缶バッジ。

三一件について検査しています。

そのうち一一人の生存が確認されました。

一七人については、死亡は確認できませんでした。名簿の死亡日付より後に生存が確認された人もいます。

残りの二人は親子同名のケースで、父親が死んだのに子がリストに載っていました。米国では、親子で同じ名前をつける人がいるのです。ドナルド・トランプの長男の名も「ドナルド」です。ブッシュ大統領父子も両方「ジョージ」なので、ブッシュ・シニア、ブッシュ・ジュニアなどと呼ばれていました。王侯貴族でなくてもヘンリー二世のような名乗り方をする人がいます。

一人は本当に亡くなっていたのですが、投票用紙の郵送後に死んでいました。

三一人だけの調査ですから、残りの九九六九人は全部死亡していたという可能性も否定できませんが、おそらく無作為抽出の三一人と同様の結果になるのではないでしょうか（上図）。

その他、各地でトランプ支持派が選挙の不正について騒いでいます。裁判を起こしたりもしていますが、決定的な証拠を出せないでいます。

こんなデマもあります。

デマ5　有権者名簿は改竄されている。

前にも述べたように、米国では情報にアクセスできる権限が地位や職責によって、かなり限定されています。名簿にアクセスして改竄するには、特に今はコンピュータの時代ですから、当然、パスワードを入力しなければなりません。不正なアクセスがあれば、ログ（記録）を見れば、誰がアクセスしたか、少なくとも誰のパスワードを使ってアクセスしたかは一発でわかります。したがって履歴を提出し、「ここで不正にアクセスされ、操作された」と主張できるはずなのです。そんな証拠も出てこないようでは、不正アクセス説も根拠が薄いと言わざるをえません。

選挙不正を疑うことはいくらでもできます。しかし、文明国の常識として「疑わしきは罰せず」。罰するためには物的証拠が必要なのです。

連邦議事堂侵入事件は米国の国体をゆるがす大事件

バイデンに関しては、女性に近づいて髪の匂いを嗅いだりするなどセクハラ疑惑があったり、認知症を患っているのではないかなどの本人のスキャンダルもさることながら、息子のハンターがウクライナから不正献金をもらっていた、あるいは小児性愛の問題などの疑いもあります。黒である線が濃厚ですが、そのことと大統領選挙戦にまつわる一連の疑惑とは無関係です。米国内で不正選挙を行った証拠にも根拠にもなりません。

それはそれ、これはこれ。どんな極悪人であろうとも、行ったことの罪にしか問われません。そして、それぞれの罪を裁くには、それぞれの証拠が必要なのです。証拠がなければ単なる誹謗中傷です。それは責任ある立場の人が言うべきことではないでしょう。

冷静に考えれば、バイデンに対する一連の疑惑や非難には荒唐無稽な話も多いのですが、デマに煽られたトランプ支持派の人たちの一部はそれを信じ、ネット上あるいはリアルに集会して騒いでいます。


単に与太話をしているだけのレベルにとどまっていればよかったのです。しかし二〇二一年一月六日に大事件が置きました。この日は上下両院で選挙人による投票が行われ、バイデンの勝利が正式に承認される日でした。

「不正選挙だ〜。裁判だ〜」「絶対にトランプが勝つ!」と言い続け、信じていた支持者たちは、この現実を目の前にして黙っていられません。選挙結果に異議を唱える抗議集会が連邦議事堂の前で開催されました。

そして興奮した集会参加者の一部が議事堂の中に侵入し、審議が中断されました。しかも連邦議事堂の敷地内で銃撃戦が起こり、女性一人が亡くなりました。女性はQアノンの支持者でした。

この本のテーマです。また、この事件で警察官が三名亡くなっています。自殺者などを含めて計七名の死者を出した大事件となってしまいました。

米国で連邦議事堂が襲撃された事件の先例としては、一八一四年に米英戦争中に英国軍が議事堂に放火したほか、敷地内で銃が乱射されたり、爆弾が爆発したりしたことはあります（https://globe.asahi.com/article/14094713）。あくまでも戦時中の外国の軍隊による攻撃であって、米国民が議会活動そのものを妨害するために騒動を起こしたのは初めてのことです。


日本では六〇年安保条約改定反対闘争のときにデモ隊が国会構内に突入し、警官隊と衝突しデモ隊の女子学生が亡くなったことがあります。リアルタイムで知る人は少なくなりましたが、歴史ドキュメントの映像などで、若い人も目にしていると思います。

そのため「そういうこともたまにはあるよ。別にたいしたことはない」と思う方もいるかもしれませんが、米国ではとんでもない事件なのです。

米合衆国憲法修正第一条から修正第一〇条は「権利章典」といい、憲法のなかでも特に重要な基本的人権を定めたものです。

憲法の第一条はどこの国でも国是、国体にあたるものを定めます。

米国の場合は次のようになっています。

Congress shall make no law respecting an establishment of religion, or prohibiting the free exercise thereof; or abridging the freedom of speech, or of the press; or the right of the people peaceably to assemble, and to petition the Government for a redress of grievances.

合衆国議会は、国教を樹立、または宗教上の行為を自由に行うことを禁止する法律、言論または報道の自由を制限する法律、ならびに人民が平穏に集会しまた苦情の処理を求めて政府に対し請願する権利を侵害する法律を制定してはならない。

「人民が平穏に集会する権利（the right of the people peaceably to assemble）」との文言の下に連邦議事堂を描いた切手。

「人民が平穏に集会する権利（the right of the people peaceably to assemble）」の集会の意味するものは、一般的な会合はもちろんのこと、その最高の形は議会です。

米国の連邦議事堂は日常的に使用される普通切手の図柄として、しばしば採用されています。そのうち一九七五年に発行された九セント切手には、この文言が議事堂の上にしっかり書かれています（上図）。

議事堂の建物に侵入し、審議をストップさせるなど、いわば米国の国体をないがしろにしたのと同義なのです。

この事態を招いたトランプに対する非難が全米で起こりました。少なくとも理性と常識ある人々は、これを許しません。

しかも、トランプ自身、支持者に集会に参加するよう呼びかけたと受け取られかねない発言をしていたことが、動画などで明らかになっています。トランプの意図はどうあれ、結果的にトランプが支持者を煽って動員したと見られても仕方がありません。

また、たとえトランプが煽っていなくても、米国政府は合衆国民の生命財産を守ることに最大の責任を負うています。それを守れなかった時点で、トランプは罷免・辞任に値します。議事堂侵入、議事妨害は、そのぐらい重大な不祥事なのです。

日本に置き換えてみましょう。

日本国憲法第一条
天皇は、日本国の象徴であり日本国民統合の象徴であつて、この地位は、主権の存する日本国民の総意に基く。

日本の憲法第一条は天皇で始まっています。くり返しますが、憲法第一条には、その国がもっとも重視していること、いわば国体について書かれます。これを米国の連邦議事堂侵入事件に当てはめるなら、皇居に暴徒が侵入したイメージです。

暴徒と御所の皇宮警察が衝突し、怪我人が多数出た。暴徒の一人は警官に撃たれて死亡。皇宮警察官も三人殉職。こんな不祥事が起こったら、即座に内閣が吹っ飛びます。

かつて一九二三年、摂政宮裕仁(ひろひと)親王(後の昭和天皇)が無政府主義者に狙撃(そげき)された事件がありました。虎ノ門事件です。この皇太子暗殺未遂事件が起こったとき、(第二次)山本権兵衛内閣は事件の責任をとって総辞職しました。

連邦議事堂に侵入し審議を妨害する行為は、米国人にとってはそれぐらい重いのです。日本では連邦議事堂での騒動を軽く見ている人が多いのですが、六〇年安保のときの国会より、皇居襲撃をイメージしてください。

事件を米国人は国体に対する挑戦と見なしました。そして国体を守れなかったトランプの責任は重い。だから「弾劾」も大げさな措置ではない。この期に及んで確たる証拠もなしに「不正選挙が～」と言い続けている人は米国の敵になりかねないのです。

なおトランプに対する弾劾裁判についてはトランプの任期が残り一週間となった二〇二一年一

月一三日、民主党が多数を占める下院がトランプが集会で「議事堂へ向かおう」、「もっと激しく戦うべきだ」などと支持者に議会を襲撃するよう煽動（せんどう）したとして、弾劾訴追を可決しました。しかし上院での弾劾裁判が開廷したのはバイデン政権発足後の一月末のことで、実質的な審理が始まったのは二月九日のことでした。

トランプ弁護団は〝公職を退いた大統領〟を裁くのは前例がなく、違憲だと主張。演説の内容も言論の自由などを保障する合衆国憲法第一条で保護されていると反論し、二月一三日、上院はトランプに無罪評決を下しました。

ここで重要なのは、トランプは〝公職を退いた大統領〟だから無罪を勝ち取ったということです。これは、トランプ本人が大統領選挙でバイデンに敗れたことを正式に認めたことに他なりません。したがって、この瞬間、トランプの敗北を認めないという一部のトランプ支持者の主張は完全に根拠を失ったわけです。

いずれにせよ、なぜ、ここまで根も葉もないデマが拡散し、興奮した人々がこんな騒動を巻き起こしたのか。要因はいろいろあるのですが、そのひとつがQアノンが発信するネット上の陰謀論です。

ネットを通じて拡散するデマと陰謀論はさまざまあります。そのなかでQアノンは数年で急激に信者を増やし、米国で最も勢いのある陰謀論です。連邦議事堂侵入もQアノンの主張や告発に賛同し、集会・活動する人々がトランプの敗北を認められず、正気を失って起こした事件だったと見てよいでしょう。

第二章

君にもなれるQアノン

Qアノンとは何か？

日本の5ちゃんねる（かつての2ちゃんねる）のような、何でもありのインターネット掲示板が米国にもあります。4chan（フォーチャン）、8chan/8kun、Reditなどです。

このうち、4chanは、二〇〇三年一〇月一日、ニューヨークに住む当時一五歳のクリストファー・プールが立ち上げました。プールは、画像掲示板を中心とした日本の電子掲示板群、〝ふたば☆ちゃんねる〟の米国版として、アニメとテレビ番組について（米国ではかなり異例なことですが）匿名で話しあうサイトの開設を構想し、世界各国のユーモアサイトを紹介する掲示板『サムシング・オーフル・フォーラム』の支部として、掲示板と画像掲示板から構成される4chanをスタートさせたのです。

要するに、米国人が2ちゃんねるの真似をしたわけで、あらためて、日本のサブカルチャーの影響力の大きさがわかります。

その後、二〇一三年にフレドリック・ブレンナンの創設した8chanが4chanから派生しました。8chanは日本の2ちゃんねるとも提携し、二〇一四年一〇月以降、フィリピンを拠点にサービスを提供していましたが、二〇一五年一月、児童ポルノが掲載されていると申し立てられたことにより、グーグル検索から除外されてしまいます。このため、ドメインを8chan.coから8ch.

net に変更して運営を続けていました。

しかし、二〇一九年八月三日と四日、テキサス州エルパソとオハイオ州デイトンで発生した無差別乱射事件のうち、エルパソの事件の容疑者が 8chan で事前に犯行予告の声明を出していたため、プロバイダーのクラウドフレアからサービス提供を打ち切られました。そこで、二〇一九年一一月、サイト名を 8kun に変更し、プロバイダーをロシアの業者に変更してサービスを再開。現在にいたっています。

なお、創業者のブレンナンは二〇一六年に 8chan との関係を断っており、現在は、8chan 批判の急先鋒（きゅうせんぽう）になっています。

ブレンナンが厳しい 8chan 批判を展開している最大の理由は、この掲示板でのハンドルネーム〝Q〟の投稿がQアノン現象を引き起こしてきたことにあります。

米国の省庁の機密情報にはアクセス権限が細かくランクが決められていて、たとえば、エネルギー庁の場合、機密性の低いものからコンフィデンシャル＜シークレット＜L＜トップシークレット＜Qがあります。エネルギー庁は核など安全保障上の機密情報を扱うところなので、特に細かく分かれており、そこの最高のアクセス権限〝Q〟を持つ者をQクリアランスといいます。

一方、〝アノン〟はアノニマス（Anonymous）の略です。

アノニマスという語は、もともと「作者不明の」、「匿名の」などの意味で日常会話でも頻繁に使われる形容詞です。

Qアノン以前のアノニマス

掲示板の4chanは、米国では珍しく、匿名での利用が可能となっています。このため、利用者が投稿時に名前を入力しないと、投稿者の欄には〝名無しさん〟の意味で〝Anonymous〟と表示される仕様になっていました。

〝名無し〟ではあっても、実際にはそれぞれの投稿には投稿者がいるわけで、いつしか、〝名無し〟であったはずのアノニマスは、アノニマスという名前の人間を意味するようになっていきます。そして、4chanが流行するに従って、アノニマス＝名もなき個人の集団という考え方が一種のインターネット・ミームとして定着していきました。

ところで、匿名掲示板を積極的に利用している人たちの間では、〝情報の自由〟は絶対に侵害してはならないとする価値観が多数派です。このため、あらゆる表現規制や情報統制、情報流出などを厳しく批判する人も多く、二〇〇六年頃から、そうした人の中から「情報の自由を守る」という「大義」の名の下に、さまざまな組織・団体に抗議活動を展開する動きが出始めました。

その際、彼らは自らを〝アノニマス〟と名乗り、4chanを離れ、抗議作戦ごとにメンバーがIRCというチャットシステムを用いて議論し、具体的な抗議方法を検討するという方式を取りました。その運動には明確なリーダーが存在せず、抗議内容ごとに参加するメンバーもまちまちで、組織としては非常に緩く流動的な性質を持っているのが特徴です。

二〇〇八年、米国の新興宗教団体サイエントロジーが、動画配信サイトのYouTubeに投稿されたある動画の削除を要求。

これに対してアノニマスたちは、情報としての映像を削除することは「情報の自由」への侵害ととらえました。そしてサイエントロジーのサーバーをダウンさせるためのDDoS攻撃[注]を展開。さらに二〇〇八年二月一〇日には、世界九三都市で七〇〇〇人が参加した大規模デモが行われました。

このとき、デモの参加者は、サイエントロジーから個人の顔を特定されることを避けるため、共通の仮面を装着しています。

この仮面は、一九八〇年代の英国のコミック、『Vフォー・ヴェンデッタ』に登場するもので、反逆＝自由の抑制に対する抵抗のシンボルとして、一六〇五年に英国で起きた政府転覆未遂事件（火薬陰謀事件）の主犯ガイ・フォークスの顔を模したデザインとなっていました。以後、ガイ・

（注）DDoS 攻撃：サイバー攻撃の一種。ウェブサイトやサーバーに過剰なアクセスやデータ送付により意図的に負荷をかけサービスを妨害することをDoS攻撃（Denial of Service attack）、それを多くのコンピュータから大量に行うことをDDoS（Distributed Denial of Service attack）という。

ウィキペディア
「ガイ・フォークス・マスク」より

（左）チェ・ゲバラの肖像「英雄的ゲリラ」とアノニマスの象徴としてのガイ・フォークスの仮面を組み合わせたイラストの絵葉書。1968 年のパリ 5 月革命以降、左翼反体制派のシンボルとして盛んに用いられてきた「英雄的ゲリラ」と、ガイ・フォークスとの組み合わせは、新旧の“反逆”のシンボルを融合させたデザインとして興味深い。なお、「英雄的ゲリラ」については 221 頁〜を参照。

フォークスの仮面はアノニマスの象徴として定着していきます（上図）。

その後も、アノニマスは、次のような活動で注目を集めます。

・二〇一〇年二月、インターネット規制に抗議するとして、オーストラリア政府に対するサイバー攻撃やデモなどの抗議活動を展開。

・二〇一〇〜一一年、〝アラブの春〟へ関与。チュニジアでの「ジャスミン革命」における情報統制に関連して、八つの政府のウェブサイトへのDoS攻撃。チュニジア政府のサイトの書き換え、エジプト情報省とムバーラク大統領のウェブサイトへの攻撃などを行った。

・二〇一二年六月、日本で可決された違法ダウンロードの刑事罰化に対する抗議活動。財務省、自民党、民主党、日本音楽著作権協会＝ＪＡＳＲＡＣの公式ウェブサイトを攻撃。
・二〇一三年、北朝鮮による人工衛星「光明星3号2号機」打ち上げに抗議し、ハッキング。
・〝イスラム国〟を自称するイスラム過激派組織ダーイッシュ（ＩＳＩＬ）に対するネット上での抗議の呼びかけ。
・ＩＳＩＬに関するフェイスブックやツイッターのアカウント数１００件の削除。
・白人至上主義団体ＫＫＫ支持者の名前の公表。

アノニマス自体は、最近出現してきたQアノンとは無関係で、それどころか二〇一八年八月五日には、「（Qアノンを）断固として許すわけにはいかない。お前たちと一戦交えるつもりだ、覚悟しろ。証拠も何もなくても信じてついてくる愚か者だけが、お前たちの仲間だ」とQアノンのフォロワーの個人情報を晒(さら)すなど、Qアノンに対して敵対的な立場を鮮明にしています。ただ、ネット上で緩やかに結びついた匿名集団が社会的にも大きな影響力を及ぼしている事例という意味では、Qアノンに先行する存在として踏まえておく必要があるでしょう。

Qアノンの主張

Qアノンに話を戻します。「Qクリアランスの匿名投稿者」としてのQアノンは、政府高官からのリーク情報であることを匂わせるネーミングです。

発信者は一人あるいは少数のグループで始まったと考えられていますが、Qの投稿について解釈したり、拡散したりしている信奉者は数知れず。そこから派生した（集合名詞としての）Qアノンの全体像を把握するには、現在までの情報の分析だけでも、一〇年以上はかかりそうです。

ただし、Qアノンの主張は、おおよそ次のようにまとめることができます。

Qアノンの主張（まとめ）

世界は悪魔崇拝者による国際的な秘密結社によって支配されている。この国際的な秘密結社はディープ・ステイト（闇の政府）やカバール（陰謀団）の強い影響化にある。彼らは合衆国政府を含め、基本的にすべての有力政治家、メディア、ハリウッドをコントロールしているが、その存在は隠蔽（いんぺい）されている。

彼らはグローバリストであって、〝グローバリスト〟は中国を新たな世界覇権国とした〝ニュー・ワールド・オーダー（新世界秩序）〟の構築を目標としており、その中核は、世界の金融資本と原子力産業を支配しているロスチャイルド家で、石油産業を支配するロックフェラー家と対立したが、ロックフェラーは戦いに負けた。

ロスチャイルド家とサウード家、ソロス家が結び付いており、彼らはクリントン一味と米国のディープ・ステイトを動かして、米国を支配している。また、ロスチャイルド家、ソロス家、クリントン一味は悪魔崇拝のサタニストで、小児性愛者(ペドファイル)だ。小児性愛者たちのネットワークには米国のエリート層も組み込まれている。

ディープ・ステイトについて、従来は多くのことが秘匿されていたのだが、ドナルド・トランプは、この悪行を熟知しており、彼が二〇一六年の大統領選挙で勝利したことで、闇の組織ディープ・ステイトの存在が広く世間に知られるようになった。

トランプは、まさしくディープ・ステイトと戦うために大統領になったのだ。

ディープ・ステイトはトランプが計画している報復の日「嵐」（The Storm）を警戒している。「嵐」によって隠された真相が明らかになり、秘密結社のメンバーが大量に逮捕されるだろう。

ディープ・ステイト側はそれを阻止するため、死に物狂いでトランプの再選を阻止し、あらゆる不正を駆使してバイデン政権を誕生させた。

心ある愛国者Qアノンは、米国と世界の現状に危機感と正義感を持ち、機密情報にアクセスすることのできる立場を活用して、世界の秘密を暴露し、人々の覚醒を促している……Qアノン信奉者はそう信じています。

「Qアノンが悪を暴いてくれた。もう騙されない。倒すべき敵はディープ・ステイト。自分たちはトランプ親分と一緒にクリントン一味と戦うのだ。さあ立ち上がろう」

そして、負けるはずのないトランプが大統領選に負け、「不正」に憤った人々が実際に立ち上がってしまったというのが、連邦議事堂に侵入するなどの問題を引き起こしているQアノン現象の基本的な構造です。

前作『みんな大好き陰謀論』では主にユダヤ陰謀論について語りました。陰謀論ははるか昔から、おそらく人類が言葉を発するようになった段階からあるものでしょう。Qアノンも新手の陰謀論のひとつに過ぎないと言い捨てることもできます。

しかし、数ある陰謀論の中で、今、なぜQアノンが注目されているのでしょうか。なぜQが多くの人々の心をとらえ、信じこませ、行動させているのでしょうか。このQアノン現象は、ネット社会における情報の伝わり方、それが社会に及ぼす影響を考える上で非常に興味深いものがあります。

ゲーム感覚で信者を誘導

先の項でQアノンの主張をざっくりまとめましたが、Qの投稿の特徴は、このような説明型の記事ではなく、疑問文やキーワードの羅列、リンクのみが貼ってあるなど、それ自体では意味が明確でなく、判じ物になっていることです。

たとえば、初期の投稿には、以下のようなダイアナ妃の死が事故でなかったことを思わせる記述がありました（Qアノン投稿のまとめサイト：https://qposts.online/ より日本語訳）。

二〇一七年一一月六日

英国の女王は誰か？
どのくらい長く権力の座にいる？
権力とともに腐敗が来る。
ダイアナに何が起こったか？
彼女は何を見つけたのか？
なぜ彼女は走っていたのか？
彼女は逃走を助けてもらうために誰を頼ったか？
〝カバー（cover）〟は何か？

なぜこれが関連しているのか？
なぜ今？
古い。
コネクション。
ニュース。
悪い俳優。
ロンドン市長。
背景？
提携？
女王とのつながり？
英国ＭＩ６のエージェントが死亡した。
いつ？
どのように？
何が報告されたか？
本当は何が起こったのか？
なぜこれが関連しているのか？

富。
腐敗。
秘密結社。
悪。
ドイツ。
メルケル。
移民。
なぜ移民は重要なのか？
資産。
資産とは何か？
資産を定義しろ。
なぜ移民はそんなに重要なのか？
資産とは何か？
オペレーション。
サタン。
誰が従うのか？

ぜ（?）政治指導者はサタンを崇拝するのか？
逆さ十字は何を表しているか？
誰が公然と身に着けているか？
なぜか？
彼女は誰とつながっているのか？
なぜこれが関連しているのか？
スピリットクッキング。
スピリットクッキングは何を表しているか？
カルト。
カルトとは？
誰が崇拝されているか？
なぜこれが関連しているのか？
白雪姫。
ゴッドファーザーⅢ。
ピード。
Q。

出典：https://togetter.com/li/752468

これまでのデマや陰謀論は「何月何日に○○が起こる」などの予言や「誰々がこんな悪いことをした」と断定調で説き伏せようとするものがほとんどです。ところがQの投稿は、読者に問いかけて考えさせるスタイルになっているのが特徴です。まるで、クイズかパズルのようです。

右の投稿は二〇一七年ですから、ドイツのメルケル首相が移民を歓迎する旨の演説を行い、大量のシリア難民ほかがヨーロッパに押し寄せた事件に関連して、「メルケル」や「移民」をちりばめて、「メルケルは怪しい」と示唆しています。

Qアノンの文中にある、「逆十字」とは下が長い通常の十字架（ラテン十字）を上下逆にしたものです（上図）。ネット上では、時々、悪魔崇拝と結び付けて語る人がいます。

しかし、これはまったく根拠のない俗説です。

イエスの直弟子にして初代ローマ教皇とされる聖ペトロ（ペテロとも）の殉教については、古くから、以下のような伝承が伝えられています。

> ペテロは、十字架のところに着くと、こう言った。「キリストは、天から地にご降臨になったので、頭を上にした十字架におあがりになった。
>
> しかし、わたしは、地上から天へ行くにあたいするとされたわけだから、わたしの頭は地にむき、足は天にむくようにしてもらいたい。
>
> つまり、わたしは、主とおなじ恰好で十字架にかけられる値うちがないのだから、どうか十字架をさかさまに立て、頭が下になるようにしてほしいのです」それで、十字架をさかさにし、足を上に、手を下にむけて釘づけられた。
>
> しかし、民衆は、激昂して、ペテロを十字架から救いだすために、ネロと長官を殺そうとした。
>
> ところが、ペテロは、どうかわたしの殉教をさまたげるようなことはしないでください、とたのんだ。

（ヤコブス・デ・ウォラギネ、前田敬作・山口裕訳『黄金伝説2』「使徒聖ペテロ」人文書院、一九八四年）

要するに、聖ペトロはローマで皇帝ネロによって磔刑に処せられる際、自ら、イエスと同じ状態（頭が上の状態）で処刑されるに値しないとして、頭を下にして（通常とは逆の状態で）十字架にかけられることを望んだわけです。いわゆる逆十字はこれにちなんで〝聖ペトロ十字〟とも呼ばれているのです。

実際、カトリック教会では、聖ペトロ十字を謙虚さの象徴として、交差する二本の鍵（天国の鍵）と共に図案化することは珍しくありません（上図）。

聖ペトロ十字と２本の交差する鍵のイメージを組み合わせたヴァティカンの切手。

これに対して、英国でオカルト団体を主宰していたアレイスター・クローリー（一八七五～一九四七）は、伝統的なキリスト教世界の常識を無視して、聖ペトロ十字を神の恩寵への反駁・主の恩寵からの離脱などの象徴と主張しました。当時、一般社会から耳を傾けられることはほとんどなかったクローリーですが、死後、再評価されます。

クローリーはオカルト的な主張を行い、麻薬を常習、バイセクシャルとして奔放な性生活を送りました。存命中は一般社会から猛烈なバッシングを受けましたが、そのことがかえって一九六〇年代以降のカウンター・カルチャーの文脈で高く評価されることになります。そして、逆十字を神への反抗の象徴とするクローリーの理解は、反逆の音楽としてのロック・ミュージックの世界に取り込まれ、逆十字のアクセサリーをつけて演奏するミュージシャンも多数登場しました。

なお、八五頁の写真は、教皇ヨハネ・パウロ二世が二〇〇〇年三月にイスラエルを行幸した際に撮影されたものですが、その背後に写っている逆十字は、当然のことながら、聖ペトロの後継者として、教皇権の象徴として聖ペトロ十字を用いているだけにすぎません。したがって、キリスト教に関する常識レベルの知識があれば、キャプションにある「逆さ十字は反キリストの象徴」というのは誤りと即座にわかります。続く「滑稽な間違いだろうか。それとも隠れた意味があるのだろうか」という疑問文に対しても、ローマ教皇として至極当然の正しい使い方であり、そうした問いをすることこそが滑稽で恥ずかしいことだと返答しておしまいです。

しかしながら、そうした事情を完全に無視して、逆十字イコール悪魔崇拝の象徴であり、それを公然と用いるローマ教皇は悪者の一味であるという印象操作を行っているところに、悪質なデマゴーグとしてのQアノンの性質がよく表れています。

二〇一七年一一月七日の投稿ではバラク・オバマの過去について、やはり質問の形で疑惑を投げかけています。

なぜアルワリードは政治家になる前のオバマに資金を援助したのか？

……

オバマはどんな本を読んでいるところを目撃されたのか？

これは、なぜ直ちに間違いとして無視されたのか？

……

オバマのメンター（指導者）は誰なのか？

Q

アルワリードはサウジアラビアの王族の一人です。オバマはサウジから援助を得て大学院に進学しました。米国の大学院生の大半は奨学金を得て研究活動を行っており、彼らに対する奨学金プログラムも膨大な種類があります。したがって、その中のひとつとして、サウジの王族がスポンサーになっているものがあっても不思議ではありません。正規の手続きを経ていれば、誰がそれを受給してもまったく問題ないはずです。

ただしオバマに関しては、大統領選挙時から〝隠れムスリム〟ではないのかという疑惑がまことしやかに囁(ささや)かれてきました。

オバマは一九六一年八月四日、ハワイのホノルルで生まれました。実父のバラク・オバマ・シニアはケニア出身の世俗的なムスリムで、母親のアン・ダナムはカンザス州ウィチタ出身の白人です。二人はハワイ大学のロシア語のクラスで知り合い、一九六一年二月二日に結婚しました。ちなみにイスラム法的には、ムスリムの男性と結婚する女性は、三大宗教（ユダヤ教、キリスト教、イスラム）のいずれかを信仰していればよく、必ずしもイスラムに改宗しなければならないわけではありません。オバマの自伝によれば、「父はムスリムだったがほとんど無宗教に近かった」そうです。やはり、ムスリムの父から生まれたことを息子の名に残したかったのか、オバマにはミドル・ネームとして〝フセイン〟というアラビア語の名前が付けられています。ちなみに、〝バラク〟は、旧約聖書に登場する古代イスラエルの軍師の名前です。

さてオバマは、一九六四年に両親が離婚すると母親に引き取られ、一九六七年、母親の再婚相手とともにインドネシアに移り、一九七一年にホノルルに戻るまでジャカルタで育ちます。

父親がムスリムで、アラビア語に由来するミドル・ネームを持ち、世界最大のムスリム人口を抱えるインドネシアで幼少期を過ごした……これらの事実から、オバマは〝ムスリム〟ではないかとの疑念を持つ人がいても不思議ではありません。もちろん、制度上はムスリムが米国の大統領になっても問題はありません。しかし米国ではキリスト教徒が多数派を占めていますから、心理的な抵抗を持つ人も少なくないわけです。
もっとも実際にはオバマ本人はプロテスタントで、長年にわたり、家族ぐるみでシカゴのトリニティ・ユナイテッド教会（信徒のほぼ全員が黒人で占められるプロテスタント系の教会）に通っていましたから、「オバマはムスリムだ」というのは明らかに事実と異なります。
ところが同教会でオバマにも強い影響を与えていたとされるジェレマイア・ライト牧師は政治的にかなり偏った人物で、そのことが問題になります。たとえば、二〇〇一年九月の同時多発テロの際に、牧師は次のような発言をしました。

我々は広島を爆撃した。我々は長崎を爆撃した。我々は核爆弾を落とし、このたびニューヨークとペンタゴンで殺された数千人よりもはるかにたくさんの人々を殺害した。我々はこのことから目を背け続けている。

九・一一テロ事件後、米軍とNATO軍がアフガニスタンを攻撃した際、日本でも主としてリベラル系のコメンテーターなどの発言に同様の論調が見られました。実際に、家族や友人を亡くした人の多い米国内でのライト牧師の発言は顰蹙（ひんしゅく）を買うであろうことは容易に想像がつきます。

さらに、二〇〇八年の大統領選挙で、民主党の候補指名獲得をめぐってオバマとヒラリー・クリントンが争っていた三月一三日、ABCのニュース番組「グッド・モーニング・アメリカ」で、ライト牧師の以下のような演説が放送されます。

米国政府は彼ら（黒人たち）にドラッグを与え、より大きな刑務所をつくり、三回重罪加重懲役法を成立させたくせに、我々（黒人）に「神よ米国に祝福を（God bless America）」と唱わせようとする。とんでもないことだ。このようなことをする国に対して聖書は「神よ米国に断罪を（God damn America）」と唱えよと教えている。我が市民（黒人）を人間以下に扱っている米国に神よ断罪を。自分があたかも神であるかのように、かつ至上の存在であるかのようにふるまっている米国に神よ断罪を。

ライト牧師の演説は明らかに〝反米〟的な内容であったため、三月一八日、オバマ自身もフィラデルフィアでの演説で「ライト牧師は米国に対し非常に歪んだ見解を持っている。白人による人種差別を我が国特有のものとし、米国の良心よりも欠点を取り上げている」と牧師を批判。

その一方で、米国独立宣言には〝奴隷制度という原罪〟があるとしたうえで、「歴史的な過ちを正すときが来た」、「私には神への信仰と米国民に対する信頼に基づく堅い信念がある。協力し合えば人種に関わる古傷をいくらか乗り越えることができるし、より完璧な共同体を目指すなら、ほかに道はない」と主張し、報道のダメージを最小限に食い止めることに成功しています。

ただし、一連の騒動を通じて、オバマに対しては、急進的なリベラルで反米的（な人物の影響下にある）とのイメージが、保守派を中心に国民の間に沈殿していきました。

オバマは大統領として二期八年の任期を務めて退陣しましたが、二〇一六年の大統領選挙前後から、オバマ時代の遺産を強調する民主党候補（オバマ政権の国務長官だったヒラリー・クリントンならびに副大統領だったジョー・バイデン）への攻撃材料として、ネット上で蒸し返されます。

実際、オバマが現職の大統領だった二〇一五年九月に行われたCNNとORCの合同世論調査によると、オバマの宗教について、全体の二九パーセントが「ムスリムだと思う」と回答。これが、共和党支持者に限ると四三パーセントに、さらに大統領選挙への名乗りを上げて間もなかった時期のトランプの支持層では五四パーセントと過半数に上るという結果が出ています。

一度、拡散したイメージは、それが誤りとして明確に否定された後も、なかなか払拭されないことを物語る象徴的なエピソードと言ってよいでしょう。

もちろん、オバマがサウジ系の奨学金を得ていたことや、彼と親交のあった牧師の問題発言などはすべて公開情報ですから、ネットで少し検索すれば誰でも容易に見つけられます。ただ、二〇二〇年の時点では、すでに一〇年以上前の出来事ですから、過去の経緯を忘れている人も多い。

そもそも、問題の放送を知らない若者も少なからず出てきます。そうした人々にとっては、オバマの牧師であったライトの発言は〝隠された事実〟ではあります。

Qの質問を指示通りに調べていくと、多くの人が知らない世界を垣間見られる。そう思わせ、巧みに人々を誘導し、「そうか。オバマはサウジアラビアや米国解体を目論む左翼活動家とつながっていたのだ」と気づくように仕向けます。

ネットでの検索というのは、一見、客観的な結果が求められるように見えますが、検索ワードに偏りがある場合、結果にも当然偏りが生じます。そして、似たような思考回路の持ち主がSNSに集まり、似たような情報を共有しつつ拡散していくことで、自分たちとは異なる意見や都合の悪い事実を排除した「タコつぼ」が肥大化していく現象は、あらゆるジャンルでしばしば見られる現象です。しかし、「タコつぼ」の中にいる人たちは、なかなか外の世界の客観的な事実や批判的な意見に気づかない。あるいは、気づいていてもそれを否定するところに「真実」があると思いこむのです。

こうしてQアノンに関心を持った人たちは、自分で検索をして答えにたどりつき、それによって知られていない〝真実〟を自らの手でつかみとる達成感が得られるのです。

垂れ流しの情報を見聞きする受け身の姿勢ではなく、自分でアクションを起こすのですから、いわゆる参加型ゲームです。

このしくみに人々は嵌(はま)りました。多くのアクセスを集め、情報は拡散します。

ネット時代ならではのカルト

二〇年前、三〇年前のネットやウェブ端末が今ほど普及していなかった時代であれば、Qアノンもごくごく限られた少数のマイナーなカルトで終わったかもしれません。

しかし、今や誰もがスマホやパソコンを持つ時代、そしてネット環境の整備によって、情報の発信・拡散が容易になりました。またスマホやパソコンで何かやっていても、その人が今、何を見ているのか、家族や友人、同僚でもよくわからないという側面もあります。

従来のカルトは信者を出家させ、一般社会から隔離しました。物理的に家族・友人から切り離し、財産を出させたのです。当然、家族は気づきますし、取り戻そうと大騒ぎします。

ところがQアノンは信者を誰からも切り離す必要がありません。スマホやパソコンの端末があれば、在宅のまま部屋に引きこもりの状態で囲い込むことができます。

提示された疑問に従ってニュースサイトを検索すると、淡々と事実が書いてある。あるいは、陰謀論的にバイアスがかかった解釈が掲示板に出てくる。ネットで検索して「真実」に到達した人は勝ち誇ったように拡散し、それほど探究心のない同調者は「真実」に到達した仲間の成果を見聞きして満足し、自らもまた無批判に拡散する。

Q !!Hs1Jq13jV6 ID: b151f1 No.11121861 **4886**
Oct 17 2020 14:42:05 (EST)
Ukraine, China, Iraq, Iran, …… opens the door far beyond the BIDEN family.
How do you protect your interests **[shelter from prosecution _public awareness]**?
Control **[infiltrate]** DOJ, FBI, State, Intel, News, …….?
How many *fired* FBI **[Russia _Midyear]** received a book deal?
Book deals can be lucrative.
Follow the family.
US taxpayer(s) paid for it all.
INFORMATION WARFARE.
Q

出典：https://qanon.pub/

Qも匿名なら、拡散者たちも多くは匿名です。誰が何をやっているのか、誰も気づきません。

Qアノンの盛り上がりは、教祖の教えをありがたく頂戴（ちょうだい）する信者の信仰心によってではなく、個々人の能動的な探究心の賜物（たまもの）です。一人ひとりの発信が集団を作り上げます。

実際には、誘導されているだけなのですが、本人たちはそう思わない。自らの意志で動いて、真実に到達したのだと錯覚します。

既存の大手メディアは、根拠薄弱な陰謀論などを載せたら信頼に関わりますので、そんな記事は載せない。掲載するとしたら批判的な論調で書きます。

Qアノン信奉者は、今まで聞いたこともない情報に触れて、「いまだ他の人々が知らない重要な世界の秘密を自分たちだけが知っている」と思い込み、同時に特権意識をくすぐられます。

前頁図は、二〇二〇年一〇月一七日、大統領選挙の数週間前の投稿です。

ウクライナ、中国、イラク、イラン……バイデン家をはるかに超えてドアを開く。あなたの利益をどのように守るのか。［**shelter from prosecution_public awareness**（**起訴からの避難所――公衆の自覚**）］？

コントロール［**infiltrate**（**潜入**）］DOJ、FBI、State、インテル、ニュース……？　何人の＊解雇された＊FBI［**Russia_Midyear**（**ロシア――年の中頃**）］がbook dealを受け取ったか？

Book dealsはもうかる場合がある。

家族に従え。

米国の納税者はそれをすべて支払った。

情報戦争。

Q

例によってわかりにくい〝謎かけ〟のような文章ですが、外国の脅威と民主党を結びつけています。

Q !!Hs1Jq13jV6 ID: b3a95d No.11618946 **4951**
Nov 12 2020 22:20:17 (EST)

Shall we play a game?
[N]othing **[C]**an **[S]**top **[W]**hat **[I]**s **[C]**oming
NCSWIC
https://www.cisa.gov/safecom/NCSWIC
Who stepped down today **[forced]**?
https://www.cisa.gov/bryan-s-ware
More coming?
Why is this relevant?
How do you 'show' the public the truth?
How do you 'safeguard' US elections post-POTUS?
How do you 'remove' foreign interference and corruption and install US-owned voter ID law(s) and other safeguards?
It had to be this way.
Sometimes you must walk through the darkness before you see the light.
Q

出典：https://qanon.pub/

また、大統領選後の一一月一二日には不正選挙を匂わす投稿がありました。

ゲームをしようか。

[N]othing [C]an [S]top [W]hat [I]s [C]oming（誰も来たるべきものを止めることはできない）

NCSWIC

https://www.cisa.gov/safecom/NCSWIC

今日、誰が辞任した［**強制されて**］？

https://www.cisa.gov/bryan-s-ware はもっと

まだ来るのか？

なぜこれが関連しているのか？

どのようにして国民に真実を「示す」のか？

米国大統領（トランプ大統領）後の米国の

選挙をどのように「保護」するのか？

どのように外国からの干渉や腐敗を「取り除き」、米国所有の有権者ＩＤ法やその他のセーフガードをどのように取り入れるのか？

それはこのようにしなければならなかった。

時には、光を見る前に暗闇の中を歩かなければならないことがある。

Q

「ゲームをしようか」と、ゲーム性を十分に意識している書き出しです。

「[N]othing [C]an [S]top [W]hat [I]s [C]oming（誰も来たるべきものを止めることはできない）

NCSWIC」

何のことやらと思いますが、直下のリンクをクリックすると、国土安全保障省（ＤＨＳ）のサイバーセキュリティー・インフラストラクチャー・セキュリティー庁（ＣＩＳＡ）によって設立されたＮＣＳＷＩＣという機関が本当にある！

「今日、誰が辞任した？」も、リンクをクリックすると名前が出てくる。

そして、トランプでなければ米国を守れないと続き、今は暗闇の中にいるようであるけれども、いずれは光が差してくると、希望をほのめかして終わっています。

Q !!Hs1Jq13jV6 ID: 54e39d No.11953143 **4953**
Dec 8 2020 17:05:50 (EST)

https://www.youtube.com/watch?v=O1l-nR1Apj4
Q

リンクを開いて「そういうことか」と私も楽しんでしまいました。これはたしかに中毒性があります。

しかも、仲間同士で「誰々がこんなこと言ってるぞ」「こんなの見つけた」「これはこういうことではないか」と掲示板やチャットで言い合って、相互確認しながら、ますます深みに嵌っていく人が多いのもうなずけます。

一二月八日の投稿（上図）はリンクだけで、開くと調子のいいトランプ賛美の動画が見られます。非常にうまくできているので、これを見て自然とトランプを支持したくなる人も出てくるのではないでしょうか。

トランプのツイートは削除されて今では見られませんが、この動画にはいくつか出てきます。

「選挙を盗まれた！　そうはさせないぞ。投票所がしまってから投票はできないんだ！」

今となっては本当にトランプのツイートだったのか確認はできません。ただしこの動画が配信された時期には削除されておらず、誰でも確認できたはずですから、本物と推測されます。だとすると、完全にトランプ本人が煽（あお）っていると非難されてもしかたがない言動です。

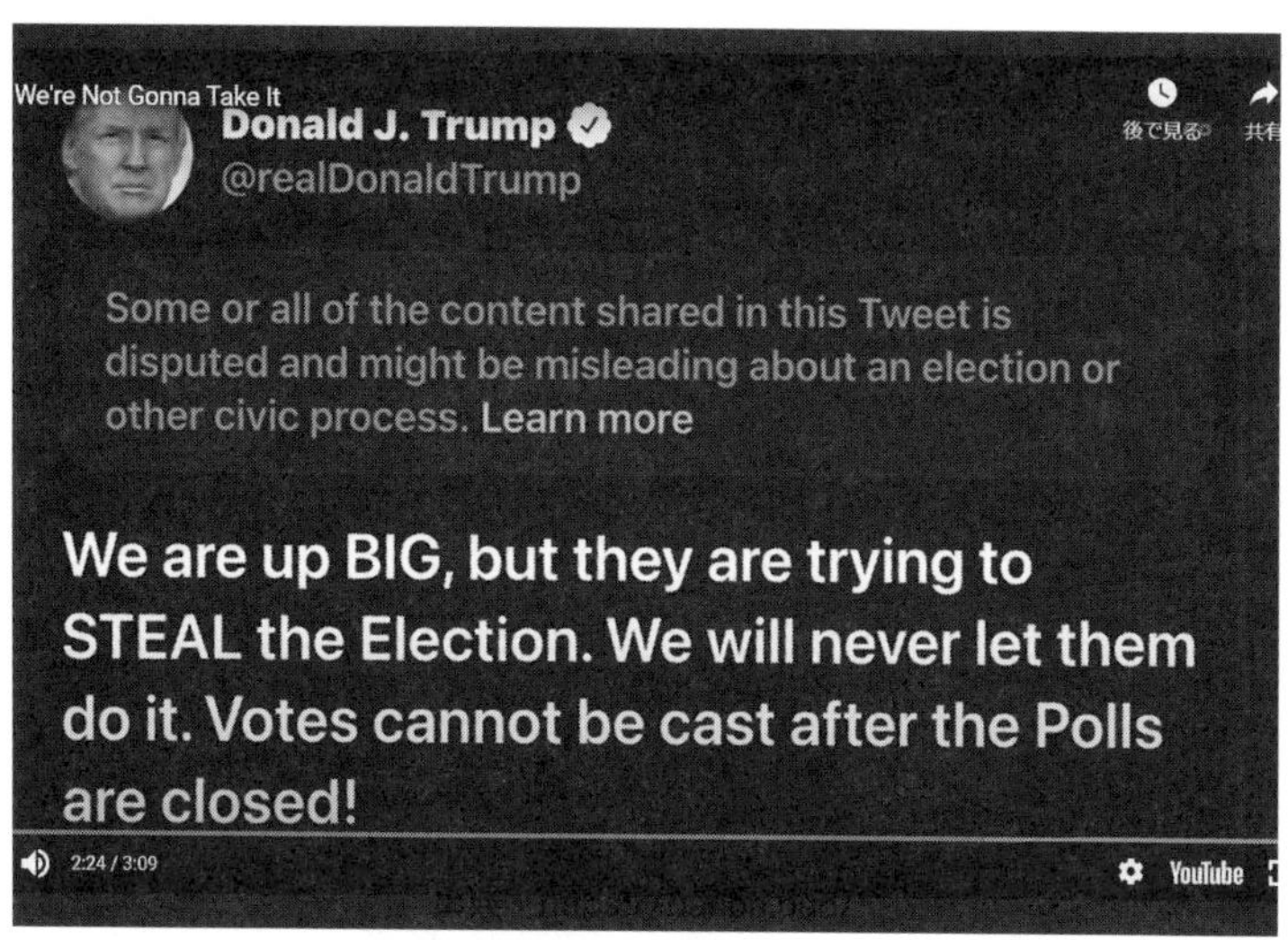

動画2：24分頃。

陰謀論やカルトについて研究しているトラヴィス・ヴューは、「パソコンの前に座って情報を検索し、発見したものを今度は自分で投稿するというプロセスだけで国家を根本的に変え、信じられないような無血革命を起こし、何世代にも渡って書き継がれる歴史的運動の一部になれることをQアノンは約束している」と指摘しています（Rosenberg, A.,"I understand the temptation to dismiss QAnon. Here's why we can't", The Washing-ton Post https://www.washingtonpost.com/opinions/2019/08/07/qanon-isnt-just-conspiracy-theory-its-highly-effective-game/）。

パソコンの前に座っているだけでQのグループにつながり、これで彼らを情報検索した人は、偉大な革命に参加しているのだと感じることができる。Qアノンを一種の〝娯楽〟とみるならば、人間の際限ない想像力に訴えかけ、つまらない日常を一気に感動スペクタクルに変えてしまうという点で、非常によくできていると評価してもよさそうです。

混ぜるなキケン！　陰謀の元はひとつじゃない

私は、前作『みんな大好き陰謀論』（二〇二〇年）で、古典的なユダヤ陰謀論の矛盾や誤りを指摘しました。すると、一部の読者（陰謀論者と言い換えてもいいでしょう）から「世の中に陰謀がないと言うのか」という、明らかに同書の内容を理解していない、あるいは理解しようとさえしていない、的外れな非難が少なからず浴びせられました。

言うまでもなく私は陰謀が存在しなかった／存在しないとは一言も言っておりません。どこの国にも、いつの時代にも、〝陰謀〟といってもいい秘密工作や裏工作はあります。ただ、あくまでも個別の政策や事案について、それぞれの背後関係や対立する利害があって、それぞれの陰謀があるわけです。

国家による陰謀、大金持ちやエリートの犯罪などが表沙汰（おもてざた）になった大スキャンダルは歴史上いくつもあります。デマと思われていた情報が関係者の証言や新資料の発見により、実は真実だったと後に証明されたケースは少なくありません。

そのたびに「ほら、やっぱり」となりがちです。しかし私が注意を喚起したいのは物事の単純化です。ありとあらゆる世の中の不正や悪をディープ・ステイトに帰し、それらが単一の組織をなし諸悪の根源となっているというのは非現実的だと申し上げているのです。言い換えれば、森羅万象を網羅する〝諸悪の根源〟などありえないということです。

たとえば同じ輸送産業でも、鉄道輸送とトラック輸送は利害が対立します。エネルギー産業にしても、石油・天然ガスを主体とする勢力、原子力勢力、自然エネルギー勢力は利害が対立するわけです。それを全部〝ディープ・ステイト〟なる集団が包括していると考えるのは現実的ではありません。少なくとも、そうした集団が存在すると主張するのであれば、そう主張する側に挙証責任があるはずです。残念ながら、彼らはその点になると言葉を濁して「すべての有力政治家、メディア、ハリウッドがコントロールされていて、その存在は隠蔽（いんぺい）されている」と逃げ回ります。それでは、まともな議論など成立しません。

たとえば、ディープ・ステイトが存在するということを前提に展開されている日本国内の議論として、WiLL増刊号インターネットテレビ版 #441「習近平〝退治〟に乗り出したディープ・ステート」（二〇二一年三月三日配信　https://www.youtube.com/watch?v=cGRzs1SoF8k）があります。この動画の中で、開始から五分四五秒頃から、ノンフィクション作家のKさんと聞き役の男性との間で、次のような会話が展開されています。

K　バイデンさんの後ろは習近平ではなくて、やっぱりディープ・ステイトなんです。とすると、今まで通りの中国との関係でいくというのは、考え難いと思います。

男性　ざっくり表現すると、トランプ大統領を引き摺り下ろしたいという、いわゆるDS（ディープ・ステイト）と中国共産党と、いわば共闘みたいな関係があって第一弾として、この前、表舞台からトランプさんを消しました。今度はDSとしては本丸である中国が敵というフェーズに移ったということなんですか？

K　ざっくりと言えば、そういうことだと思うんです。その上で、そのディープ・ステイトの中でも、やっぱり共産主義者、マルキストというグループと、自由、民主、法の下の平等、人権という価値基準を絶対に離さないと言っている英王室を中心とするグループ（という言い方がいいかわからないけれど）、それはやっぱり相反するものがあるんですよね。

そこで出てきたのが、私はフランスだと思っているんです。フランスは、伊達にアメリカに自由の女神を贈ったんではなくて、ちゃんと「これだからね」というのを送り込んで、それを贈ったというところでは、やはり習近平の政権、マルキスト政権は自由の女神と対極にいるわけですよ。だから、ディープ・ステイトも、そっち側のグループとそうじゃないグループに分かれているような感じがします。

ただ、それは明確に誰とか、なぜと言えないんですが、それは分からないって意味でね。

Kさんは、ディープ・ステイトが「中国を新たな世界覇権国とした〝ニュー・ワールド・オーダー（新世界秩序）〟の構築を目標としている」と主張するQアノンとは認識を異にしていますが、それでもディープ・ステイトが存在することには疑念の余地がないものとして話を進めています。そのうえで、ディープ・ステイトにはマルキスト・グループと英王室を中心とする自由主義陣営があり、両者は対立関係にあると説明しています。

この説明が「世界のすべてを裏から牛耳る謎の集団」というディープ・ステイトの定義と矛盾しているように感じられるのは私だけでしょうか。

マルキストと自由主義陣営の間で米国政府、特にバイデン大統領が揺れ動いていて、そこに自由主義陣営の一員としてフランスが釘を刺しているというのであれば、（その見立てが正しいかどうかは別にして）別に〝ディープ・ステイト〟という要素を持ち込む必要はありません。通常の国際政治における影響力浸透工作の一例といえば話は片づきます。

そのうえで、たとえば「自由主義陣営を束ねるディープ・ステイトが存在している」と主張するのであれば（マルキストを統制できない時点で、もはや〝世界を牛耳るディープ・ステイト〟でも何でもないと思いますが）、具体的に、誰がどのように行動しているのか、その一端だけでも示す必要があるはずです。この点についてKさんは「ただそれは明確に誰とか、なぜと言えないんですが、それは分からないって意味でね」と言葉を濁しており、お話になりません。

はやりの用語ディープ・ステイトを使ってウケを狙っているだけなのかもしれませんが、だとしたら、「ノンフィクション作家」としては軽挙妄動と言わざるをえません。


もちろん、少数の人たちが世界の政治・経済を〝牛耳っている〟という見解については、そうした傾向が観察されることは事実です。

元国務長官ヘンリー・キッシンジャーの名を冠したシンクタンク、キッシンジャー・アソシエイツによると、世界の政治・経済に実際に影響を及ぼす力があるとされる個人は約六〇〇〇名ほど。ただし、その六〇〇〇人が全部ひとつのネットワークになるということは、ありません。

彼らの大半はエリート校、一流大学の出身者ですから、大学などの同窓会といった私的集団で情報交換をしたり、世界的規模のプロジェクトの企画が検討されたりすることもあるでしょう。ただし、それがすべての世界政治を陰で操ると考えるのは無理があるでしょうし、そのための組織・機関の存在なども確認されていないわけです。

企業に関してスイス連邦工科大学の二〇一一年の調査によると、世界の主要企業四万三〇〇〇社の所有権が一四七社に集約されていました。上位約五〇社はほとんど金融系の会社グループが占めていて、医薬品企業や石油会社も含まれます。

世界経済に大きな影響を与え、世界経済を動かしうる五〇の企業と言え、さまざまな（先進）国にわたっています。

トップは英国系のバークレイズ国際金融グループで、欧米先進国の企業が多いのですが、中には日本の野村ホールディングスや三菱ＵＦＪ、認可法人の預金保険機構、りそなホールディングスが入っています（参考：高島康司『Ｑアノン　陰謀の存在証明』成甲書房、二〇二〇年）。

責任ある立場の人の言葉も鵜呑みにしてはいけません。社会的地位があり、一見、冷静で頭のよさそうな人が「世界を陰で操る闇の組織が……」と言い出すことだってあるのです。

世界銀行法務部主席弁護士だったカレン・ヒューデスは「グローバルエリートたちが国際決済銀行を私物化している」と告発しました。

銀行の信用リスクなどを担保するために、一定以上の自己比率を保つことなどを定めた国際的な規制にバーゼル規制（ＢＩＳ規制とも）があります。国際決済銀行（ＢＩＳ）はバーゼル規制で世界の銀行のグローバルスタンダードを決定しています。ヒューデスの発言は、このしくみを通じてグローバルエリートが世界経済を支配しようとしていると批判したものです。

告発の後、ヒューデスはその職を解任されました。

ここまでの話を聞いた限りでは、「彼女は表に出してはいけない真相を明らかにしたために解雇されたのではないか」と思ってしまいそうです。私も、もし、それが本当であれば、明確な証拠を提示して、ひるむことなく告発し続けていただきたいと思います。
しかし、この人の他の発言が異様です。

「この世界を支配しているネットワークの背後にあるグループのうちの一つはイエズス会であり、他にもいくつかのグループがあるのです。それらの中の一つのグループは、ヒト科ではあるが、人類ではない者たちによるグループです。……彼らは氷河期の初期に地球で強い力を有していました。……彼らは人類の女性との交配で子孫を作ることができますが、繁殖力は強くありません。私たちは秘密にされている世界、秘密結社による世界に住んでいます。しかし、それは公にはなっていません」（高島、前掲書）

「世界銀行法務部の弁護士」という肩書に騙されてはいけません。私物化したエリートの腐敗を暴くという話、大いに期待できるかと思ったら、「ヒト科ではあるが、人類ではない者たち云々（うんぬん）」ですから、この人は精神に異常をきたしてクビになったのが真相ではないでしょうか。
Qアノンは「地球は、実はレプティリアン（爬虫類人（はちゅうるいじん））に支配されている」などの従来のオカルト思想とも融合しつつあるようです。

ダメダメのサウード家に世界を支配する力はない

Qアノン界隈（かいわい）の言う「ロスチャイルド家・サウード家・ソロス家が世界を支配している」も怪しいフレーズです。

「ロスチャイルドの陰謀」については前著『みんな大好き陰謀論』で詳述しましたので、そちらを参照していただきたく思いますが、Qアノンは新しいだけあって古典的陰謀論ではあまり聞かなかったサウジアラビアのサウード家が登場しています。

先に触れたように若きオバマがサウード家の一員から援助を得て大学院に進学したことや、クリントン財団にサウード家から寄付があったことなどから、世界の支配者グループ入りしているのだと思われます。

ただ、ユダヤ人ロスチャイルドと並び称されているところに違和感があります。ユダヤとサウジ、いつから仲良しになったのでしょうか。

二〇二〇年夏、サウジアラビアに隣接するアラブ首長国連邦（UAE）やバーレーンが、アラブ連盟の方針に従って、それまで正式には〝国家〟として認めず、正規の国交もなかったイスラエルと国交を樹立したことが世界的な大ニュースになりました。しかしサウジアラビア自体はイスラエルと、まだ国交を回復していません。「イスラエル国家、許すまじ」の建前は公には健在なのです。百歩譲って、それは表のポーズであって、裏ではつながっているのだとの説明も可能かもしれませんが……。

そもそも、サウード家は世界の支配者の一角を担うような存在なのでしょうか。たしかにサウード家は石油大国サウジアラビアを支配しています。しかし、サウジアラビアの外交はことごとく失敗しているのです。

たとえば、二〇一七年六月、サウジは関係の良くなかったカタールをアラブ世界から村八分にしようとして、UAEやバーレーン、エジプトなどを誘ってカタールと断交しました。ところが、カタールにはトルコとイランから食料支援が届き、痛くも痒くもない。むしろ、カタールはイランに年間一億ドルを支払い、イラン上空を通過することによって通商路を確保しています。半官半民のカタール航空がヨーロッパの一流サッカーチーム、スペインのFCバルセロナの胸スポンサーになるような国ですから、一億ドルぐらい屁みたいなものです。

結果的に、カタールは宿敵イランに接近し、米国が自分たちを尊重している最大の理由である〝イラン包囲網〟に自ら穴を開けるという愚行をしでかしたのがサウジです。

また、二〇一八年には、政権に批判的なジャーナリストのジャマル・カショギをトルコのイスタンブールの大使館に呼び出して殺害し、それが公になってしまいました。テロさえもまともにできないわけです。

　これに対して北朝鮮は、工作機関によって日本人をはじめ外国人を自国にまで拉致しておきながら、長年にわたって「噂にすぎない」とシラを切り通しました。事実、金正日が拉致を白状するまで「証拠がない」と主張し続け、日本国内で〝拉致疑惑〟を問題にした人はリベラル派から差別主義者呼ばわりされたほどです。

　また、カダフィ政権時代のリビアは、数多くの反米・反イスラエルのテロを支援していたことで知られていますが、一九八八年一二月二一日には、リビアの広報機関に属する二人が英国でパンナム機を爆破し、死者二七〇人を出したうえ、実行犯は無傷で帰国しています。ちなみに、事件がリビアの国家犯罪と認定された後も、カダフィは容疑者の引渡しを拒否し続けました。結局、一九九九年、ハーグ国際法廷への容疑者の引渡しに応じ、二〇〇三年八月、「リビアが国家として事件に関与したわけではないが、リビア人公務員が起こした事件なので総額二七億ドルの補償を支払う」として米国と和解しています。

　さらに、モロッコの反王制・左派系民主活動家のメフディー・ベン・バルカがパリで〝失踪〟した事件があります。このときも実はベン・バルカが、モサドとCIA、フランスの諜報機関の協力を得たモロッコの工作員三名（うち一人は後に内務大臣に昇進）によって殺害されていたということが判明したのは、かなり後になってのことでした。

　このように、本物のテロリスト国家は任務をきっちり遂行した後、実行犯を無事に帰国させ、自らの関与を隠し通すものです。サウジアラビアはそれさえできない。北朝鮮をはじめとするテロ国家は悪い国ですが、サウジアラビアはテロさえできない杜撰な国です。そんなダメダメサウジが、黒幕として世界支配の一角を担っている？　冗談もほどほどにしてください。

そもそも、サウジの能力では、世界どころか隣の小国にもコントロールが及びません。

二〇一五年、アラビア半島の南端、サウジと国境を接するイエメンで、シーア派のクーデターが起こり、内戦へと発展します。サウジアラビアはスンニ派を支援する形で介入し、一般住民も巻き添えにして大勢の死者が出ました。しかし、それでも内戦を制圧できない。

サウジアラビア一国の舵取りを間違え、周辺の小国もコントロールできない。こんなサウード家がディープ・ステイトの一角を担うなど分不相応もいいところで、サウジの能力を買いかぶりすぎです。むしろ、ディープ・ステイトが本当に存在するなら、彼らに申し訳ない。ちなみに、サウジアラビアという国については、拙著『世界はいつでも不安定　国際ニュースの正しい読み方』（ワニブックス　二〇二一年）でも詳しくまとめておりますので、そちらをご参照いただけると幸いです。

ソロス家＝ジョージ・ソロス一代

そして三番目に「ソロス家」。ソロス・ファミリーの和訳なのでしょうが、日本語で「○○家」

とは、徳川家や藤原家のように代々続くイメージがあります。しかし、ジョージ・ソロスは一代で富を築いた立志伝中の人物で、歴史的に遡(さかのぼ)っても無名の一族です。陰謀論ではちょくちょく出てくるロスチャイルドやロックフェラーと同一視するのは無理があります。ソロスはたしかに莫(ばく)大(だい)な富を持つ資産家ですが、ソロスの一族が政治の世界で大きな勢力となっている事実は、今のところありません。

ソロスはハンガリー生まれのユダヤ人で、リベラル派の民主主義団体や人権団体に資産の多くを提供しており、各国の保守派、特に、出身国であるハンガリーの現政権から睨(にら)まれています。

すなわち、二〇一〇年に発足した第二次オルバーン・ヴィクトル政権は、二〇一一年に憲法改正を行い、新たに「ハンガリー政府は国境を越えてハンガリー系住民の運命に責任を持たなければならない」と規定。ウクライナ西部などに住むハンガリー系住民への援助と市民権・選挙権付与を行い、国内での民族主義を鼓舞して政権への支持を高めてきました。

実際二〇二〇年にピュー・リサーチ・センター(注)が行った国際世論調査では、「(第一次大戦でオーストリア＝ハンガリー二重帝国が解体されたことで)本当は自分たちの領土なのに隣国の一部になっている土地があるか」との質問にイエスと答えたハンガリー人は六七パーセントにも上り

(注) ピュー・リサーチ・センター (Pew Research Center)：米国や世界の人々の問題意識、意見や傾向について調査する研究機関、シンクタンク。

ました。こうした現政権の民族主義的な傾向は、隣国ウクライナなどとの軋轢を招いています。当然のことながら、リベラルやグローバリズムとの相性は悪く、その象徴的な存在であるソロスは、オルバーンから何かと攻撃されています。

本章ではQアノンの概要を見てきましたが、Qアノンは、いきなり「無」から飛び出してきたわけではありません。ここに至るまでに米国のネットメディアの歴史がありますので、次章以降、米国版の（主として右派系）ネット陰謀論の歴史についてお話ししていきたいと思います。

第三章

Qアノン前史

——保守系ネットメディアの曙(あけぼの)

それは『ドラッジ・レポート』から始まった

〝ネット右翼〟ないしは〝ネトウヨ〟という言葉は、定義が曖昧(あいまい)です。発言者や文脈によって指し示している対象がまちまちなうえ、〝リベラル〟を自任する人々が、自分たちの主張に賛同しない人々に対して投げつける罵倒語(ばとうご)という側面もあるので、まじめな議論の文脈では使いづらい用語です。

とはいえ、〝ネトウヨ〟という言葉から多くの人が連想する一定のイメージはあります。まず、インターネットを主たる活動の場としている人々であること。そして、その最大公約数的なところは、以下のようにまとめられると思います。

①当人たちの自意識では保守派。ただし、必ずしも自国の伝統文化や歴史などを正確に理解したうえで、尊重しているとは限らない。
②自国の特殊性・優位性を過度に強調し、排外主義的な傾向が強い。
③反リベラル、反左翼、反グローバリズム。
④掲げる〝事実〟はすべてが虚偽ではないが、信憑性(しんぴょうせい)が低いことが多い。

米国で、これとほぼパラレルな関係にあるのが、オルト・ライト（alt-right：alternative rightの略）やオルタナ・ライトと呼ばれるグループです。日本語の〝ネトウヨ〟のように、オルト・ライトとオルタナ・ライトも、基本的には自称ではなく他者からのレッテル張りという面が強いため、厳密な区別は難しいのですが、一般的な傾向として、右記の①〜④の性質のうち、排外主義的・人種差別的な傾向の強いグループをオルト・ライト、必ずしもそうではないグループをオルタナ・ライトと呼ぶことが多いようです。

いずれにせよ、そうした潮流の原点としては、一九九六年にマット（マシュー）・ドラッジが創刊したネットメディアの『ドラッジ・レポート』を挙げる人が少なくありません。

マット・ドラッジは、一九六六年一〇月二七日、ワシントンDCにも近いメリーランド州タコマパークで、民主党支持の公務員で改革派ユダヤ教徒の両親の下に生まれました。幼い頃に両親が離婚し、母親に育てられました。学業成績は芳しくなく、三五〇人中三二五位の成績で高校を卒業した後、セブン-イレブンやマクドナルドの店員、ニューヨーク青果市場の販売助手などの職を転々としていました。

一九八九年、ロサンゼルスに移り、三大ネットワークのひとつ、CBSのスタジオに近いギフトショップで職を得ると、業界関係者が出入りする環境の中で、大手メディアでは報じられないゴシップ情報を自然と耳にするようになります。

一方、二〇代も半ばになろうというのに、専門的な技能訓練を受けたこともなく、高卒でアルバイトに近い生活を続けていたマットの将来を案じた父親は、一九九四年、マットにコンピュータを買い与えました。これを機に、マットはごく少数の友人たちに自分が耳にしたゴシップと、それに簡単なコメントをつけた〝ニュースレター〟を送るようになりました。

マットのニュースレターは仲間内の評判がよく、受け取った友人たちがそれをインターネット・フォーラムのalt.showbiz.gossip Usenet forumに投稿することで、徐々に読者を拡大。一九九五年三月の時点で登録者は一〇〇〇人に到達します。

こうした状況を踏まえて、マットは、一九九六年一〇月、〝いかなる企業とのしがらみもないメディア〟と銘打ち、有料の『ドラッジ・レポート』を創刊したのです。

当時はウインドウズ95が発売されてまだ間もなく、ようやくパソコンが一般家庭に普及しはじめたインターネットの黎明期でした。『ドラッジ・レポート』は、そうしたネット環境の中で、週刊の電子メールニュースレターを配信するスタイルでサービスを開始します。

現在で言うところのメルマガに近い形式でしたが、自前の記事はあまりなく、主に外部ニュースやコラムへのリンク集で構成されていました。ただし、読者が自分の興味・関心に合わせて記事を選択しやすいよう、編集部がリンク先へ誘導するリード文を加えているという点で、類似の配信サービスとは一味違っていました。

『ドラッジ・レポート』は、創刊までの経緯からゴシップ記事を中心に紹介するメルマガとしてスタートし、一九九六年の大統領選挙で注目を集めます。共和党候補のボブ・ドールが副大統領候補としてジャック・ケンプを指名するという情報を公表前にすっぱ抜いたのです。ケンプは、アメリカンフットボールのスター選手から政治家に転身し、ブッシュ（父）政権下で住宅都市開発長官を務めた人です。

この頃から『ドラッジ・レポート』の内容は政治色が強くなっていきます。そして、一九九七年、メールレポートの補足としてウェブサイトを開始。その後、ビジネスの軸足は徐々にウェブサイトに移行し、一九九八年以降、マット本人はウェブサイト更新に専念することとなります。ただし、独自の記事を書くことはほとんどなく、各種メディアへのリンク集が中心という構成はメルマガ時代と同じです。

ルインスキー事件で名を挙げた『ドラッジ・レポート』

『ドラッジ・レポート』の名を一躍全米にとどろかせることになったのは、一九九八年のモニカ・ルインスキー事件です。

モニカ・ルインスキーは、一九七三年七月二三日、サンフランシスコで東欧ユダヤ系医師の裕福な家に生まれました。米国を代表する高級住宅地として知られるロサンゼルスのビバリーヒルズで成長し、オレゴン州ポートランドの大学を卒業。その後、政府高官などのコネがなければ得ることのできない三通の推薦状を得て、ホワイトハウス実習生になります。そして、当時現職大統領だったビル・クリントンと不倫関係に。

クリントン（任期：一九九三〜二〇〇一年）は大統領就任以前から多くの女性と不倫関係にあり、一九九二年の大統領選挙期間中にも攻撃材料となっていました。

大統領就任前にはアーカンソー州知事を務めており、一九九四年、州知事時代にクリントンの部下だったポーラ・ジョーンズがクリントンをセクシャル・ハラスメント（セクハラ）で訴えると、その公判過程で、クリントンがルインスキーとも不倫関係にあったのではないかとの疑惑がもたれます。

当初、クリントンはルインスキーとの関係を否定していましたが、これが偽証との疑惑が浮上し、スター特別検察官が捜査を開始。これに対して、クリントンはルインスキーに「自分と関係があったことは裁判で言わないでくれ」と頼みました。

ルインスキーは口止めできても、その周囲から情報が漏れました。クリントンとの不倫関係に関してルインスキーは同僚に電話で相談していました。同僚は当時、密（ひそ）かに会話を録音しており、一九九八年一月、録音テープを公表したのです。こうしてモニカ・ルインスキーとクリントンとの〝不適切な関係〟が明らかになりました。

郵便はがき

料金受取人払郵便

牛込局承認

9410

差出有効期間
2021年10月
31日まで
切手はいりません

162-8790

東京都新宿区矢来町114番地
神楽坂高橋ビル5F

株式会社ビジネス社

愛読者係 行

ご住所 〒 TEL:　（　　）　FAX:　（　　）		
フリガナ お名前	年齢	性別 男・女
ご職業	メールアドレスまたはFAX メールまたはFAXによる新刊案内をご希望の方は、ご記入下さい。	
お買い上げ日・書店名 年　月　日　市区町村　書店		

ご購読ありがとうございました。今後の出版企画の参考に
致したいと存じますので、ぜひご意見をお聞かせください。

書籍名

お買い求めの動機

1　書店で見て　2　新聞広告（紙名　　　　　　　　）

3　書評・新刊紹介（掲載紙名　　　　　　　　）

4　知人・同僚のすすめ　5　上司、先生のすすめ　6　その他

本書の装幀（カバー），デザインなどに関するご感想

1　洒落ていた　2　めだっていた　3　タイトルがよい

4　まあまあ　5　よくない　6　その他(　　　　　　　　)

本書の定価についてご意見をお聞かせください

1　高い　2　安い　3　手ごろ　4　その他(　　　　　　　　)

本書についてご意見をお聞かせください

どんな出版をご希望ですか（著者、テーマなど）

また、ルインスキーの提供した〝大統領の精液がついた青いドレス〟とクリントンのDNAを鑑定照合した結果、「精液が別人のものである確率は、欧米人で七兆八七〇〇億人に一人」という結果が出たため、同年八月一九日、クリントンは法廷証言とテレビ演説で〝不適切な関係〟を認め、下院が大統領を弾劾訴追する騒動となりました。執務室内で大統領が彼女にオーラルセックスをさせていたことなども、明らかになっています。

なお、最終的に上院はクリントンに無罪の評決を下し、事件は決着しています。

一連の騒動の過程で、『ドラッジ・レポート』は、民主党支持のリベラル派メディア『ニューズウィーク』誌が、クリントンとルインスキーの不適切な関係についての情報を得ていながら、政治的な配慮から公表しなかったことをすっぱ抜き、全米を騒然とさせました。

この『ドラッジ・レポート』のスクープは、単にクリントン個人のスキャンダルとはまったく別の次元で、米国社会の抱える深刻な矛盾をあぶりだすことになっていきます。

リベラルのご都合主義――トーマス判事事件とクリントン擁護

話が前後して申し訳ありませんが、クリントンが大統領に立候補する前年に遡りります。

〝セクハラ〟とその概念は、今でこそ世間一般に広がっていますが、かつては一部の女性活動家の用語にすぎませんでした。この〝セクハラ〟が米国内で一般化したのは、一九九一年のクラレンス・トーマス判事事件以降です。

トーマスは、一九四八年六月二三日、ジョージア州ピンポイント生まれ。現在の米国の最高裁判事の中では、最も保守的な人物として知られています。一九九一年六月、サーグッド・マーシャル判事の後任として、四三歳の若さながら、ブッシュ（父）大統領により黒人として二人目の最高裁判事に指名されました。

米国の最高裁判事は、一度任命されると本人が自主的に退官しない限り、終身その地位にとどまります。このため、人工妊娠中絶の是非や銃規制など、国論を二分する問題が裁判の争点となり、最高裁の判断が求められる場合、九名の判事（長官一名、陪席判事八名）のうち、保守派とリベラル派のどちらが主導権を握るかは極めて重要な政治案件になります。特に、トーマスのように若くして最高裁判事となれば、その後、数十年にわたってその人物が最高裁の一票を持ち続けることになるので、意見が対立する立場の人たちは、なんとしても判事の指名を阻止しようとするわけです。

さてトーマスについて、彼の最高裁判事としての適格性を問う公聴会が開かれると、判事の元部下で、オクラホマ大学法学部教授（当時）のアニタ・ヒルがトーマスからセクハラを受けたと証言。最終的に、一九九一年一〇月の上院本会議で、トーマスの最高裁判事指名は五二対四八の僅差（きんさ）で承認されたものの、これを機に直接の身体的な接触はなくても、「相手が不快と思ういやらしい言行はセクハラなのだ」という認識が米国社会に広まり、セクハラ追放を叫ぶフェミニストやリベラル派の活動家たちが多くの訴訟を起こしました。

ところが、翌一九九二年の大統領選挙では、民主党候補だったビル・クリントンの不倫やセクハラ疑惑が発覚すると、フェミニストやリベラル派はクリントンを非難するどころか、被害を訴えた女性たちを猛烈にバッシングし始めます。クリントンは、女性が中絶する権利を容認する立場で、反戦平和主義者のリベラルとみられていましたので、彼らは「大事（＝リベラルな政策を実現すること）の前の小事（＝クリントン個人のスキャンダル）」とばかりに、クリントンを擁護する方針を採ったのです。

多くの米国民が、リベラル派のあまりのご都合主義に啞然としました。わずか一年前のトーマス判事のときの大騒ぎは、いったい何だったのかと。

『ドラッジ・レポート』、リベラルへの反感を煽って成功

モニカ・ルインスキーの事件は、こうした過去の経緯があったところに起きたわけです。このときも、フェミニストやリベラル派はルインスキーを嘘つき呼ばわりしました。そればかりでなく、クリントンが自ら「実際、私はルインスキーさんと不適切な関係を持ちました」と非を認める発言をした後でさえ、アクロバティックな論理を展開して、クリントンを擁護し続けました。

彼らのあまりにも身勝手な主張に対して、多くの国民があきれ果て、保守派がクリントンと彼を擁護するリベラルに対する怒りをたぎらせる中で、『ドラッジ・レポート』は、『ニューズウィーク』がクリントンに不利な情報について〝報道しない自由〟を行使していたとのスクープを放ったのです。これ以上はない燃料投下を受け、世論はますます炎上します。

これを機に、『ドラッジ・レポート』は一躍、リベラル派に反感を持つ人々（必ずしも保守派ではない）に人気のサイトとなり、ビジネスは急成長していきました。

しかし、〝スクープ〟の一方で、ほとんどネットからの情報のみで記事を構成している『ドラッジ・レポート』の信頼性については、疑問視する声も少なからず上がっていました。実際、二〇〇三年、マット・ドラッジは『レイダー』誌のインタビューに対して、他のネットメディアから自らのサイトに掲載する記事を選ぶ際に「単に面白いと思ったことを公表しているだけだ。元の記事の全文を最後まで読んだのがいつのことだったか……まったく思い出せない。たいていは、最初の二段落と最後の二段落ぐらいを斜め読みするだけだから」とあけすけに語っています。

実際、『ドラッジ・レポート』は誤報の多いメディアです。

たとえば、一九九七年一〇月一〇日、ドラッジは「ホワイトハウス・アシスタントのシドニー・ブルメンソールが妻を殴打し、それを隠そうとした」と報じました。これは完全な誤報として翌日取り下げられました。そして三〇〇〇万ドルの名誉棄損訴訟に発展しました（後に和解）。

このほかにも、『ドラッジ・レポート』による〝問題報道〟の代表的な例としては、二〇〇四年の大統領選挙に際して、民主党の大統領候補、ジョン・ケリーの軍歴に関する粉飾疑惑問題があります。ケリーは、二〇二一年一月に誕生したバイデン政権で気候問題担当大統領特別特使に指名された人です。やたら長い職名ですが、環境問題に関連した新設の役職です。

ケリーは民主党のアキレス腱である〝愛国心〟を強調するため、ベトナム戦争に従軍し、三度負傷したことを強調する選挙戦を展開しましたが、「内容が大幅に誇張されている」と米軍の復員軍人団体〝真実を求めるスウィフト・ボート退役軍人の会〟が攻撃しました。このケリー攻撃を大々的に拡散する役割を果たしたのが『ドラッジ・レポート』です。しかし、後に退役軍人の批判には嘘や捏造があることが判明し、『ドラッジ・レポート』も批判されました。

さらに、二〇〇八年の大統領選挙では、バラク・オバマがソマリアの民族衣装を着ている写真を掲載し、「オバマは米国生まれではないから、大統領に立候補する資格がない」と主張。これも実は、オバマがたまたま旅行に行ったときに現地の民族衣装を身に着けただけのことでした。

また同年には、アフガニスタンで従軍中の英国のヘンリー（ハリー）王子の写真を掲載していま す。ドイツやオーストラリアのメディアも掲載していますが、英国内では王子のセキュリティー上の理由から発表されなかった写真です。米国で報じられれば全世界に拡散されてしまい、前線で勤務していた王子がターリバーンなどイスラム過激派の標的になりかねません。さすがに無神経だの批判も強かったため、この件で『ドラッジ・レポート』は謝罪に追い込まれました。

紙媒体であれテレビ・ラジオであれ、商業メディアの大半は、その本質からして体制批判の〝リベラル〟と親和性が高いものです。すなわち、彼らは社会の問題や矛盾を探し出してきて、それを批判的に報じる、もしくは彼らなりの解決方法を提案するというのが基本的なビジネスモデルだからです。もちろん、価値中立的な天気予報や〝おバカニュース〟の類もありますが、それだけでは放送時間の枠を埋められませんし、部数や視聴率（＝売上）につながりません。

とはいえ、本来、アウトサイダーとして体制側を批判してきたメディアが肥大化し、行政・立法・司法に次ぐ〝第四の権力〟とまで呼ばれるようになると、自らも強大な権力者であることを棚に上げて、〝（彼らの定義による）権力者〟の批判ばかりしている大手メディアに対する善男善女の反発が高まるのも当然の現象といえましょう。

その意味で、既存のリベラル系メディアに対抗して、保守系メディアが相応の社会的な地位を占めることが望まれるわけですが、いかんせん、保守は基本的に現状維持派です。「今のままでいい」「ゆっくり変えよう」のような緩いことを言っていては商業メディアの経営はどうしても苦しい。そこで、クリントンのスキャンダルをはじめ、左翼リベラルの政治家を攻撃する形になるわけです。しかし、この手法で成功を重ねすぎてしまうと次第に過激化し、事実関係がおかしなことでも飛びついて配信するという悪弊に陥ってしまうのです。

ブライトバートとハフィントン

いわゆるオルト・ライトないしはオルタナ・ライト系のネットメディアの中で、『ドラッジ・レポート』に続く老舗の位置にあるのがブライトバート（Breitbart）です。

前のめりの報道姿勢で『ドラッジ・レポート』に〝色物〟というイメージが定着していた二〇〇五年、アンドリュー・ブライトバートは、リンク集という『ドラッジ・レポート』の形式をほぼ踏襲する形で、自らのニュースサイト『ブライトバート・ドットコム』（breitbart.com）を立ち上げました。以後、創業者の個人名として、会社名としてブライトバートを用います。

創業者のアンドリュー（一九六九～二〇一二）はユダヤ人。もっとも、生みの親はアイルランド系米国人で赤ん坊のときにユダヤ人の夫婦の養子になり、ユダヤ教徒として育てられたという人です(https://www.washingtonpost.com/lifestyle/style/andrew-breitbart-built-internet-empire-by-combining-new-media-old-fashioned-pranks/2012/03/01/gIQA7vc9kR_story.html)。

前著『みんな大好き陰謀論』でもご説明しましたが、米国とイスラエルは同盟関係にあるものの、ユダヤ系米国人の多くは政治的にはリベラルで民主党の支持基盤です。イスラエルがアラブ諸国やイスラム過激派から攻撃されれば米国は支援すべきだと考えていますが、現在のネタニヤフ政権のように対パレスチナ強硬派（と彼らが認識している勢力）の〝やりすぎ〟に対しては批判的な人も少なくありません。

ユダヤ系米国人として育ったアンドリューも、もともとはリベラルに親近感を持っていましたが、一九九一年のクラレンス・トーマスの最高裁判事指名をめぐる公聴会で、アニタ・ヒルが元上司のトーマスを口汚く罵(ののし)るのを目の当たりにしてリベラルに幻滅。保守的な立場に目覚めたとされています。

リベラルに幻滅したアンドリュー。開眼した目であらためて大手メディアの中東報道を見てみると、アラブとイスラエルの対立については、アラブ寄りの報道姿勢が目につきます。そこで、アンドリューはイスラエル滞在中に友達と雑談しながら、「既存のメディアは反イスラエル的すぎるから、左翼リベラルではない自由主義的なメディア、親イスラエル的なニュースサイトができないだろうか」と考えました。アンドリューがメディアの世界に入っていく出発点です。

一九九五年、アンドリューは『ドラッジ・レポート』を閲覧して非常に感銘を受け、マット・ドラッジに電子メールを送り、『ドラッジ・レポート』を手伝うようになります。そして、マットからアリアナ・ハフィントンを紹介され、ニュースサイト『ハフィントン・ポスト』の創設にも関わっていくことになります。さらに、『ワシントン・タイムズ』にも寄稿するようになりました。

現在でこそ、リベラル系ニュースサイトの老舗として知られる『ハフィントン・ポスト』とアリアナ・ハフィントンですが、もともと、彼女は、共和党保守派の重鎮、ニュート・ギングリッチの熱心な支持者で、一九九六年の大統領選挙では、現職大統領だったビル・クリントンの対抗馬だった共和党候補のボブ・ドールを支持していました。

ちなみに、ギングリッチは、一九四三年、ペンシルヴァニア州生まれ。近代ヨーロッパ史の研究者を経て、一九七八年に三五歳で下院議員に当選。その後、一九九九年までジョージア州選出の連邦下院議員を務め、一九五四年以来、連邦下院で民主党が過半数を占め続けている状況を批判して名を挙げました。

ギングリッチは、共和党が下院の過半数を奪還すべく、全米を回って保守派の草の根組織を作ります。そして、一九九四年の中間選挙での共和党の公約、『アメリカとの契約』の取りまとめ役になり、均衡財政・減税・福祉の削減・大統領による項目別拒否権などを訴え、共和党大勝の功労者となりました。その功績により、一九九五年には下院議長に就任。二〇〇八年と二〇一二年の大統領選挙では共和党の候補指名を目指して戦いました。

一方、ボブ・ドールは、一九二三年カンザス州生まれ。第二次大戦ではヨーロッパ戦線で従軍した後、一九六一～六九年に連邦下院議員、一九六九～九六年に連邦上院議員を務め、一九八五～九六年には上院トップの院内総務を務めました。政治的には、親台湾派の重鎮として有名です。

ギングリッチやドールを支持する保守派の論客だったハフィントンですが、二〇〇三年のカリフォルニア州知事選に独立候補者として出馬を表明した際、対立候補のアーノルド・シュワルツェネッガーが燃費効率の悪い車のハマーを所有しているのに対して、自らは環境志向のハイブリッド車プリウスを所有していることを取り上げ、「ハマー対ハイブリッド」のスローガンで環境問題を争点化しようとした頃から、徐々に左傾化していきます。そして、二〇〇五年五月九日には、保守系ニュースサイトと目されていた『ドラッジ・レポート』に対抗するリベラルな意見発表の場として、『ハフィントン・ポスト』を設立しました。

一方、アンドリュー・ブライトバートは、二〇〇四年に公開されたドキュメンタリー映画『悪との対決：レーガンの言葉と行為の戦争』を見て大いに感銘を受け、〝レーガン保守主義者〟であり、リバタリアンにも近いという立場から、二〇〇五年、『ブライトバート・ドットコム』を立ち上げました。

なお、リバタリアンとは自由（Liberty）を望む人々で、政府による規制を極力なくし、税金を安くすべきだという主義主張を持ち、個人の自由が最大限に尊重されるべきだと考えます。左派リベラルは弱者救済などを名目に規制を増やして「こうすべきだ」「あれはいけない」と、やたら法律を政府に作らせる傾向にあります。これに対してリバタリアンは政府が個人の行動に介入する動きを嫌います。一言で言うと自由主義的保守主義者。アンドリューも、レーガンからギングリッチへと連なる保守派の系譜に属する立場から、自由競争と規制緩和を重視していたのです。

〝進歩的ポピュリスト〟と称して左傾化したハフィントンの『ハフィントン・ポスト』に対して、アンドリューは「現状に本当に問題があって批判するならともかく、大した問題でもないのに、批判するために無理やり批判の種を探してくるのが左派リベラルメディアだ。読者は、実は、そんなものを求めていない。保守系のメディアが必要である」と考えました。

『ブライトバート・ドットコム』の根底にはそうした発想がありましたから、少なくとも当初は〝保守派のための『ハフィントン・ポスト』〟を目指して過激路線は排するとともに、『ドラッジ・レポート』のセンセーショナルなやり方とは一線を画して、リンク先として信頼性のある大手通信社と契約を結ぶところから始めました。たとえばAP通信やロイター、AFP（フランス通信社）、保守系のFOXニュースなどです。色物・マニア向けの『ドラッジ・レポート』に対して、より社会的な信頼度の高い、メジャーな通信社の記事や全国紙のリンクを集め、そのなかに『ドラッジ・レポート』も混ぜる形で注目を集めていきました。

スティーブン・バノンの登場

アンドリューは、ニュースサイトbreitbart.comに続いて、二〇〇七年には各社の映像を集めたビデオ・ブログのブライトバート・TV（breitbart.tv）を立ち上げますが、そこに、当時WTAEのニュースアンカーだったスティーブン・バノンが加わります。

スティーブン・バノンは一九五三年、ヴァージニア州ノーフォーク生まれ。アイルランド系のカトリック教徒です。一九七六年から一九八三年までの七年間、米海軍の将校を務めました。最終的な階級は大尉で、日本の横須賀基地を何度も訪れ、海上自衛隊や韓国海軍との演習に参加したこともあります。

バノンが海軍に勤務していた一九七九年は、米国の外交史上、汚辱にまみれた一年でした。すなわち、同年二月、イランでは革命が起こり、親米王制が倒れました。前年からイラン国内では反王制の暴動が頻発しており、親米王制は危機的な状況にありました。しかし、親米王制の腐敗体質を嫌ったカーター政権は、新政権とも友好関係を維持できるとの見通しに立ち、むしろそれを望んでいました。しかし、イランでは、革命後の混乱の中で、四月、反米を国是とするイスラム共和国が成立。一一月四日には、急進派の学生によるテヘランの米国大使館占拠事件が発生します。これに対して、カーター政権は、一九八〇年四月二四〜二五日、ペルシャ湾に展開した空母と艦載機による「イーグルクロー作戦」を発令し軍事力による人質の奪還を試みたものの、失敗に終わりました。

また、一九七八年以来、事実上の内戦状態にあったアフガニスタンでは、一九七九年二月、アフガニスタン人民民主党（親ソ政党）パルチャム派の活動家が、カブール駐在の米国大使アドルフ・ダブスを誘拐・殺害する事件が発生しましたが、カーター政権は適切な制裁措置を取りませんでした。このため、米国がアフガニスタン問題に関与する意志がないものと理解したソ連は、同年一二月、アフガニスタンに武力侵攻を決意しました。

これらは、いずれもカーター政権の判断ミスによる外交の失態でした。

現役の軍人として事態の推移を見守っていたバノンは、それまでは政治的に確固とした信念を持っていなかったのですが、カーター政権と民主党に愛想をつかし、一九八〇年の大統領選挙ではレーガンを支持しました。そして、一九八一年一月二〇日、レーガン政権の発足に合わせて、イランが米国人の人質を解放したことで、バノンはあらためてレーガン支持の姿勢を固めました。

さて、海軍退役後の一九八五年、バノンはハーバード大学ビジネススクールで経営学修士を取得。その後、ゴールドマン・サックスに職を得てM＆A（企業合併・買収）部門に籍を置いて投資家として修業を積み、敵対的買収での成功により巨額の報酬を得ました。

一九九〇年にゴールドマン・サックスを退職すると、メディアに特化した投資会社〝バノン株式会社〟を創業。一九九〇年代の米国で人気があった『となりのサインフェルド』などで知られるテレビ番組制作会社、キャッスル・ロック・エンターテインメントをテッド・ターナーに売却する交渉を手がけています。

しかし、バノンが才能を発揮したのは映像とメディアの仕事でした。

すなわち、一九九〇年代以降、バノンはハリウッドの映画産業で監督、脚本、プロデュースを手掛け、彼が手掛けた『インディアン・ランナー』（ショーン・ペン監督。一九九一年）や『タイタス』（アンソニー・ホプキンス主演。一九九九年）などは、大ヒットとはいかないまでも、専門家の間ではそれなりに高評価を得ています。

また、彼の製作するドキュメンタリー作品は、リベラルが圧倒的多数を占めるハリウッドの中では、きわめて珍しい保守派の視点による作品として、独自の地位を占めるようになりました。

アンドリュー・ブライトバートが大いに感銘を受けたという『悪との対決』（二〇〇四年）も、実は、バノンの作品です。

アンドリューは、バノンを〝レニ・リーフェンシュタール（注）の再来〟と激賞し、バノンの映画作品に出資しただけでなく、人工知能の開発者で共和党保守派の大スポンサーだったロバート・マーサーを紹介するなど、バノンへの支援を惜しみませんでした。

こうした経緯があったことから、二〇〇七年、ブライトバート・TVを創業したアンドリューが、経営者としても実績を挙げていたバノンを招聘（しょうへい）したのも、いわば自然な流れだったのです。

転機としてのティーパーティー

二〇〇七年の一二月一六日、米国独立戦争の端緒となったボストン茶会事件（tea party）（ボストン・ティー・パーティー）の二三四周年を祝う集会が行われました。この集会は、翌二〇〇八年の大統領選挙での共和党の候補指名を目指していたロン・ポール下院議員の資金集めのために開かれたもので、国連、国債、米国内国歳入庁、NAFTA（北米自由貿易協定）、WTO（世界貿易機関）などと書かれた箱を川に投げ込むパフォーマンスが行われました。

ロン・ポールは米国で最も有名なリバタリアンの一人で、一九九八年の大統領選挙には、共和党ではなく第三政党の〝リバタリアン党〟の候補として出馬したこともあります。

集会の名目となった〝ボストン茶会事件〟は、歴史的な事件からのネーミングです。

米国独立以前の一七七三年一二月一六日、マサチューセッツ湾植民地の住民が、英本国が北米植民地の承認なしに茶税法を押し付けたことに抗議して、ボストン港に停泊中の東インド会社の船から茶箱を海に投棄した事件が、オリジナルのボストン茶会事件です。TEA（茶）は彼らのスローガン「すでに十分税金を取られている／もう税金はたくさんだ（Taxed Enough Already）」の頭文字でもありました。

現代に復活したティーパーティー、この時点ではまだ運動としての広がりはほとんどなく、一過性のイベントと思われました。

結局、翌二〇〇八年の大統領選挙では、ポールは共和党の候補指名を得られずに予備選挙の段

（注）レニ・リーフェンシュタール：一九三四年にニュルンベルクで開催されたナチス党大会の記録映画『意志の勝利』や一九三六年のベルリン五輪の記録映画『オリンピア』などで知られる女性監督。

階で撤退。しかも、秋の大統領選挙本選では、民主党候補のバラク・オバマが低所得者に補助を行うことにより、国民の健康保険加入率を抜本的に向上させる内容の医療保険改革（オバマ・ケア）を金看板の公約として掲げて当選しました。〝大きな政府〟を目指すオバマは、思想的にはポリコレを尊重するリベラルに属していました。

保守派、リバタリアンは、米国建国の理念を重視するとともに新たな課税と規制の強化に反対し〝小さな政府〟を推進しようという考え方なので、当然のことながらオバマを敵視します。

はたして、オバマ政権の発足から間もない二〇〇九年二月一九日、ニュース専門チャンネルのCNBCがシカゴ（オバマの地元）の証券取引所から生中継を行いました。経済アナリストのリック・サンテリが主張します。

「もともと無理なローンを組んで払いきれなくなった負け犬連中の借金を、なぜ補助金で肩代わりしなければならないのか」

「支払いに窮した他人のローンを代わりに払ってやろうという人間が、一体この米国に何人いるのか」

当時は、リーマンショックによって世界的に金融危機が起こっていました。

オバマ政権の救済案は、サブプライム住宅ローン問題で焦げ付いた住宅ローンを再融資するというもの。これに対して、悪い行いを奨励するモラル・ハザードであると厳しく批判したのです。

そして、オバマの方針に反対するため、〝シカゴ・ティーパーティー〟の抗議活動を起こそうと呼びかけました。ここから、主にネットを通じて、抗議行動としてのティーパーティーが急速に全米に拡大していきます。

米国での確定申告の締め切り日にあたる二〇〇九年四月一五日には、全米各地で七五〇以上の団体がティーパーティーを称する抗議集会を開催。ティーパーティー運動が盛り上がっていく中で、翌二〇一〇年一月には民主党の大物上院議員、エドワード・ケネディの死去に伴う補欠選挙で、ティーパーティー派の支持を受けたスコット・ブラウンが共和党予備選で勝利して党の指名を獲得しただけでなく、本選でもマサチューセッツ州の司法長官で民主党候補のマーサ・コークリーを破って当選。ティーパーティーは、いちやく一大政治運動に成長しました。

この時期、バノンはティーパーティー運動への連帯を示すドキュメンタリーとして、女性保守派を讃える『ファイアー・イン・ザ・ハートランド』、保守有権者の意識を鼓舞する『アメリカのための戦い』（いずれも二〇一〇年）、二〇〇八年の大統領選挙で共和党の副大統領候補となったサラ・ペイリンに捧げた『敗れざる者』（二〇一一年）を発表しています。

ちなみに、ペイリンはキリスト教福音派の熱心な信者で、人工妊娠中絶や同性婚、銃規制には明確に反対の立場を取るなど保守色が鮮明でした。二〇〇八年の大統領選挙ではジョン・マケインが共和党候補として出馬しましたが、マケインは共和党の中ではリベラル色が強かったため、バランスを取るために当時アラスカ州知事であったペイリンが副大統領候補に指名されました。

アラスカ州知事（在任：二〇〇六〜〇九）としてのペイリンは、政治倫理法の制定や利益誘導型支出の撲滅などの改革に取り組み、支出削減と減税を重視して、議員が計画した無駄な橋の建設など連邦政府による公共事業を拒否し、石油や天然ガス関連の企業への規制・税制を改めるなどの実績を残しています。具体的には、アラスカ州内の自然保護区域における油田開発の解禁を求めるなど、税金や規制に反対するティーパーティー運動との親和性が極めて高い人物です。

そのため二〇一〇年二月四日、ティーパーティー最初の全国大会が開催されると彼女は基調演説を行ったほか第三回ティーパーティーエクスプレスでもネバダ州でのオープニング集会に招かれるなど、草の根保守派のアイドルにして反オバマのシンボルとして、運動の広告塔を務めています。

バノンに話を戻すと、ティーパーティー運動との連帯と並行して、二〇一〇年、二〇〇八年に起きたリーマンショックを題材にした監督作品『ジェネレーション・ゼロ』を発表しました。このドキュメンタリー映画では、バノンが〝四〇年周期説〟を強調しているのが興味深いところです。

〝四〇年周期説〟とは、歴史家のウィリアム・ストラウスとニール・ハウが『フォース・ターニング：第四の節目』（邦訳はビジネス社、二〇一七年）で提唱した仮説で、米国では、これまで約四〇年ごとに大きな転換が生じてきたし、今後も起きるであろうというものです。

バノンの映画は、ストラウスらの説を使い、「一九六〇年代にベビーブーマーが公民権運動などで伝統的な価値観を破壊したのに対して、そこから約四〇年が経過した現在、ベビーブーマーの価値観は今こそ根絶されねばならない」との印象を見る者に与える内容となっています。

さて、二〇一〇年一一月の連邦議会の中間選挙を前に、保守系メディアの雄であるFOXテレビの番組司会者、グレン・ベックが呼びかけ、八月二八日、ティーパーティーがワシントンDCのリンカーン記念堂前で〝名誉回復〟を掲げた大規模集会を開催します。

ちなみに、一九六三年のこの日、同じ場所でキング牧師が公民権運動の象徴ともいうべき〝I have a dream.〟の演説を行っています。ベックら集会の主催者たちが、オバマとリベラル派に対して挑戦する意図で、開催日と会場を設定したことは明白でした。実際、リベラル派からは、集会はキング牧師への侮辱だとの非難も浴びせられています。

集会にはサラ・ペイリンも招かれ、ベックはキリスト教の信仰心を強く持ち、建国の父の理想に立ち戻るべきだとして、「神への回帰」を参加者に呼びかけました。なお、ベックによれば参加者は三〇～五〇万人。そのほとんどは白人でした。

この集会を通じて、ティーパーティーの支持者と宗教保守派が相当程度、重複していることが明らかになります。

コラム

ティーパーティーの象徴：ガズデン旗とトランプ

ティーパーティー運動のデモでは、ほとんど必ずガズデン旗（左上図）が掲げられました。

「DON'T TREAD ON ME（俺を踏みにじるな）」とのスローガンのこの旗は、米国独立戦争時の大陸海兵隊が用い、「侵入してくる者（英国）は許さない」との強烈な意思表示。

現在米国海軍で用いられる「ファースト・ネイビー・ジャック（First Navy Jack）」（左中図）もその影響を受けています。

ゴツゴツした語感のガズデン旗ですが、独立戦争時の軍人クリストファー・ガズデン（一七二四〜一八〇五）にちなんだ名称です。ガズデンはサウスカロライナの副知事も務めるなど、政治とも関わりを持っています。

なお、ガラガラヘビの尻尾のガラガラは一三あり、初期の一三州を表しています。

オバマ政権期には反オバマ政権のシンボルとなりました。この場合、敵は英国ではなく米国政府。メッセージは「（政府は）俺たちの生活を踏みにじるな」です。

米国では愛国主義のシンボルのひとつとされるガズデン旗。

ティーパーティー運動で盛んに用いられたほか、二〇二〇年の大統領選挙でも、トランプ支持派の旗として用いられました。

上図をよく見てください。ME が TRUMP に変わっています。

ティーパーティー運動の流れを汲む保守派とトランプとの親和性が、よくわかります。

DONT TREAD ON ME

ガズデン旗。ウィキペディア「クリストファー・ガズデン」より

DONT TREAD ON ME

ファースト・ネイビー・ジャック

DON'T TREAD ON TRUMP

ガズデン旗（トランプバージョン）

そして、一一月の中間選挙では、ティーパーティーの支持を受けた共和党議員が相次いで当選し、共和党は非改選議席も含めて下院で四三五議席中二四二議席と過半数を確保。オバマ政権も軌道修正を余儀なくされました。

ところが、二〇一一年一月八日、保守派の勢いに急ブレーキをかける事件が起こります。

アリゾナ州ツーソンで銃乱射事件が発生し、少女を含む六人が死亡、一四人が負傷しました。民主党中道派の女性下院議員、ガブリエル・ギフォーズも頭部を狙撃（そげき）されて重傷を負います。

ティーパーティーの躍進を苦々しく思っていたリベラル派のメディアは、ここぞとばかりに攻撃します。「事件は、ペイリンやティーパーティーなどの保守派が人々を煽ったせいだ」との論説が相次いで掲載されました。

さらに、二〇一〇年の中間選挙に際して、全米ライフル協会の終身会員でもあるペイリンが、「再装弾（リロード）せよ！」とツイートしていたり、ギフォーズを含む複数の民主党候補優位の選挙区に〝標的マーク〟をつけた地図をフェイスブックにアップしていたりしたことが判明してしまいます。ペイリンは事件と直接の関係はないはずですが、囂々（ごうごう）たる非難にさらされます。

これに対して、ペイリンが「自分への非難は政治的陰謀」、「ジャーナリストや評論家は、憎しみや暴力を煽る〝血の中傷〟をでっち上げるべきではない」などと応じたことから、世論からは、「被害者の痛みや遺族の悲しみを軽んじた不謹慎発言だ」とさらに非難されました。

ちなみに〝血の中傷〟とは、ユダヤ教徒がキリスト教徒の子供を誘拐し、その生き血を祝祭の儀式のために用いているとするデマ、ないしはそうしたデマに基づく告発のことです。詳しくは、前著『みんな大好き陰謀論』をご参照ください。

こうしてティーパーティー運動のブームは急速にしぼんでいくことになります。

そして、自身もティーパーティーを支援していたアンドリュー・ブライトバートが、二〇一二年三月、心臓発作で急死してしまいます。四三歳の若さでした。

アンドリューの死後、ブライトバートの経営権を引き継いだバノンは、同社のCEOに就任。いよいよ本格的に言論活動を展開していくのです。

そして、二年の移行期間を経て、二〇一四年二月以降、バノンはブライトバートの事業を大幅に拡大します。ちなみに、同年のピュー研究所の調査では、回答者の三％がブライトバートを閲覧。そのうちの七九％は中道右派でした。事業拡大し始めた時点では、まだブライトバートの読者は極端な右派ではなかったのです。

しかし、バノンの活動が本格化するにつれ、ブライトバートの論調も過激化していき、現在では中道右派というよりも、かなり右寄りになっています。

創業者アンドリューが健在であれば、ある程度、歯止めがかかったのかもしれませんが、彼の死後、ブライトバートはトンデモ系の色彩を濃くしていき、「極右」や「虚偽報道」のレッテルを貼られるようなメディアへと変貌していきます。

知っているようで知らないバノン、実はこんな人

ここで、バノンがどういう考え方の持ち主か、簡単にまとめておきましょう。

日本語の〝ネトウヨ〟のイメージに近い人たちが、米国ではオルト・ライトないしはオルタナ・ライトなどと呼ばれていることは先に触れた通りですが、バノンの主張はこの基本線をほぼなぞったものといえます。

たとえば、バノンの言葉としてしばしば引用される一節の中には、こんなものがあります。

「米国の労働者階級の輝きを取り戻さなければならない。私は白人ナショナリストではなく、ただのナショナリストだ。経済ナショナリストだ。既存の秩序が雇用問題を悪化させている。したがって、（一九世紀の米大統領）アンドリュー・ジャクソンのようなまったく新しい政治運動をつくり出したいのだ」（https://www.afpbb.com/articles/-/3108588）

アンドリュー・ジャクソン（一七六七～一八四五）とは、米国第七代大統領です。「銀行は金貸しという悪行によって農民を苦しめている」と国民を煽り、中央銀行を作らせませんでした。「資本家は悪だ。額に汗して働く労働者が脚光を浴びなければいけない」と、ある種コミュニス

トに近い考え方の持ち主でした。

ちなみに、ジャクソンはトランプが尊敬している人物でもあります。大統領就任直後に執務室にジャクソンの肖像画を飾ったほどです（https://www.nikkei.com/article/DGXMZO13025280X10C17A2000000）。

トランプはポピュリストと言われますが、トランプもバノンも、今までの既存エリート層の政治からはみ出した人たちです。どちらも労働者階級や中産階級をターゲットとしており、狙う層が合致したために、非常に馬が合ったともいえます。ただし、トランプには、アイビーリーグのひとつ、ペンシルヴァニア大学のビジネススクールであるウォートン校を卒業しながら〝非インテリ〟を、あえて演じていた面があったのに対して、バノンは家庭環境のゆえに十分な教育を受けられず、人生の初期においてエリートコースに乗れなかったという点で、両者の生い立ちと経歴は明確に異なっていますが。

なお、バノンは、自分はトランプ政権内で「産業を盛んにしようと、米国の道路や造船所、製鉄所を再建するために、一兆ドル規模のインフラ計画を推進した」と豪語しています（https://www.afpbb.com/articles/-/3108588）。

また、バノンはグローバル化を批判します。

「グローバル化が米国に何をもたらしたか。米国内の労働者が没落し、アジア、特に中国が台頭してしまったではないか。シリコンバレーではＣＥＯの三分の二もしくは四分の三が南アジアや東アジアの出身者だ」

要するに、インド系もしくは中国系、日系、韓国系が多いと言いたいのですが、これは、あくまでも彼のイメージで、『ハフィントン・ポスト』によると、二〇一五年五月の時点で、アジア系専門職は全体の二七パーセントなのです。アジア人マネージャーは一九パーセント未満、役員にいたっては一四パーセント以下ですから、きちんと数字を見ると、結局、アジア系がシリコンバレーを支配しているという図にはなりません（https://www.huffingtonpost.jp/2016/11/16/steve-bannon_n_13032712.html）。

そしてアジアと言うとき、彼が念頭に置いているのは、まず中国です。

「ヨーロッパ、北米、韓国や日本は主権と自由を代表する国々。世界秩序を維持する民主主義の力となり、中国共産党が広げる全体主義・重商主義社会に立ち向かわないとだめだ」（https://www.newsweekjapan.jp/pakkun/2019/03/-right-wing1-little-guy20knock-it-off_1.php）

これまで米国のエリートたちは、中国に雇用を奪われながら、それを黙認してきたために米国の相対的地位が低下していった。危機感がなく甘かった。この現状認識は、たしかにその通りでしょう。

そして、バノンは伝統主義者です。

伝統を守るのは、いいことじゃないかと思われそうですが、バノンの場合、「伝統主義」の意味するところはなかなか強烈です。一三一四年のテンプル騎士団の壊滅と、一六四八年のウェストファリア条約で没落が始まったのだとか。彼としては、ヨーロッパ大陸で白人キリスト教徒が没落したので、米国という新天地に向かい、国家を建てたということなのでしょうか。

実に、トランプ以上に突き抜けた人です。

そして、現在の堕落した世界を救う動き、伝統へ回帰する動きが、バノンいわく、国粋主義の台頭なのです。ヨーロッパではネオナチ、日本ではたとえば在特会（在日特権を許さない市民の会）との親和性が高いといえるかもしれません。全世界で伝統回帰のアンチリベラルの活動が盛んになっています。バノンの主張はその一環と見ることができます。

バノンは自らが労働者層の家庭出身で、アンチ・エスタブリッシュメントの典型的な人間であることを強調します。累進課税に賛成するなど、低所得層、弱者に配慮する発言をし、一般人の代表であることをアピールしています。

バノンの理解ではトランプ支持層は貧しい労働者で、彼らは工場や雇用を米国に戻してほしいと切望している。そのためには中国を叩（たた）き潰（つぶ）さなければいけないのです。

労働者階級や中産階級は裕福ではない。エリートたちは巨額の献金をし、政治家に働きかけることができる。しかし、貧しい労働者・中産階級の声は無視されてきた。それではいけない。彼らの主張を代弁するのが自分たちブライトバートのメディアであり、連動するトランプ政権なのだと訴えます。

既存の秩序を破壊するという文脈では、レーニンまで持ち出します。

「レーニンは国家を破壊しようとしたが、それこそ私の目標だ。私は今日のエスタブリッシュメントのすべてを破壊したい」（https://www.thedailybeast.com/steve-bannon-trumps-top-guy-told-me-he-was-a-leninist）

バノンはまた、選挙コンサルティング会社ケンブリッジ・アナリティカの役員で、ソーシャルメディアを使ってヒラリー・クリントン陣営に不利になるよう選挙広告・選挙情報を提供するなどの情報戦を盛んに行っていました（https://news.yahoo.co.jp/byline/maeshimakazuhiro/20180321-00082950/）。

トランプが大統領選に初出馬してきた二〇一六年の段階では、極端な右派でなくても、「リベラル左派のポリコレはいきすぎだ、米国の伝統が破壊されている」と危機感を持っている人はかなりおり、企業経営者も例外ではありませんでした。そのうちヘッジファンドのひとつルネッサンス・テクノロジーズの共同ＣＥＯロバート・マーサーは、反リベラルのインフルエンサーに資金を相当出していました。『ブライトバート・ニュース』には一〇〇〇万ドル、大統領選挙ではトランプ陣営に一三五〇万ドルの資金提供をしていたと言われています。

バノンはブライトバートを急速に右旋回させ、その読者層として反エリート右派層の掘り起こしをしていきます。このバノンがトランプ陣営の選挙対策本部の最高責任者になるのは、二〇一六年八月のことです。

トランプはワシントン政治の部外者、アウトローであるとの演出を打ち出し、選挙戦を戦っていました。

そこにバノンが選挙戦略として「ラストベルトの白人労働者をトランプ陣営に取り込みましょう。それが当選に役立ちます」とプレゼンテーションしたのです。トランプ陣営は「なるほど、それはいい」と採用決定！

両者の波長がピッタリと合ったわけです。

そして、既成政治に絶望していた白人労働者層にスポットを当てた選挙キャンペーン・メッセージを積極的に発信することによって実際に多くの支持を集め、トランプ政権が誕生しました。もちろん、それだけがトランプが支持された要因ではないにしても、ひとつの大きな原動力になったことは否定できません。

二〇一七年一月、トランプ大統領の就任後、バノンは論功行賞で新設ポストの大統領首席戦略官と上級顧問に指名されました。

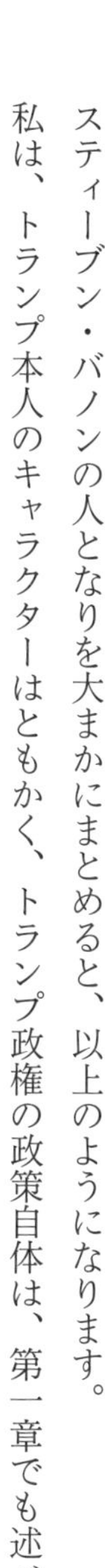

スティーブン・バノンの人となりを大まかにまとめると、以上のようになります。

私は、トランプ本人のキャラクターはともかく、トランプ政権の政策自体は、第一章でも述べ

2020年の米国大統領選挙時にトランプ陣営が有権者向けに送った反バイデン・キャンペーンの郵便物。A4より少し大きめのカード。二つ折りになっており、表面（宛名の書かれている面）には天安門の画像。毛沢東の代わりにバイデンの肖像が掲げられている。上部には、「数十年にわたって、ジョー・バイデンは中国に我々の仕事を盗ませてきた」、「バイデンは中国に弱腰」。内側面には「ジョー・バイデンの（公約である）シェールガス採掘禁止により、ペンシルヴァニアでは60万人は職を失いかねない」との見出しの下、バイデン（＝オバマ政権の副大統領）の政策によって失業者が増加したことなどが説明されている。

たように高く評価をしています。最後に暴動が起き、しかもトランプが煽動したと言われてもしかたのない言動によりツイッターアカウントを停止されたりしてしまいましたが、本来、もっと高く評価されてしかるべき政権であったと思います。

なにより、見捨てられた白人労働者を救い、白人だけでなく有色人種の雇用も伸ばしました。そして、いきすぎたポリコレを正しました。このことはトランプの功績であり、一部はバノンの功績と認めてもよいでしょう。なにより、バノンがトランプ政権の誕生に大きな貢献をしたことは間違いありません。

しかし、バノンは右に述べたようにひとクセもふたクセもある難物で、トランプも持て余していたほどです。そのバノンが解任されてから一年ほど後の二〇一九年三月八日、わざわざ日本に招待し、ありがたがって持ち上げていた会社があります。彼らの米国認識には、ちょっと首を傾(かし)げたくなりますね。

下には下、右には右がいる

本章の最後に、一枚の図表(次頁図)を見ていただきましょう。

これは、米国のメディアの偏り具合を示すメディア・バイアス・チャートです。主要メディアがレーティングされているのですが、左右がいわゆる政治的な左翼・右翼で、上下は情報の信頼性を表しています。上ほど信頼性が高く、下に行くほど低い。

この表では、最も中道的で信頼性が高いのはロイターやＡＰ通信となっています。両者が信頼できる中立的なメディアかどうかは議論の余地があるかもしれませんが、ＣＮＮが左によっていて低めの位置にあるなど、それなりの信頼性をもってランキングがなされている表と思われます。

BREITBART（ブライトバート）の文字は小さくて見にくいですが、中

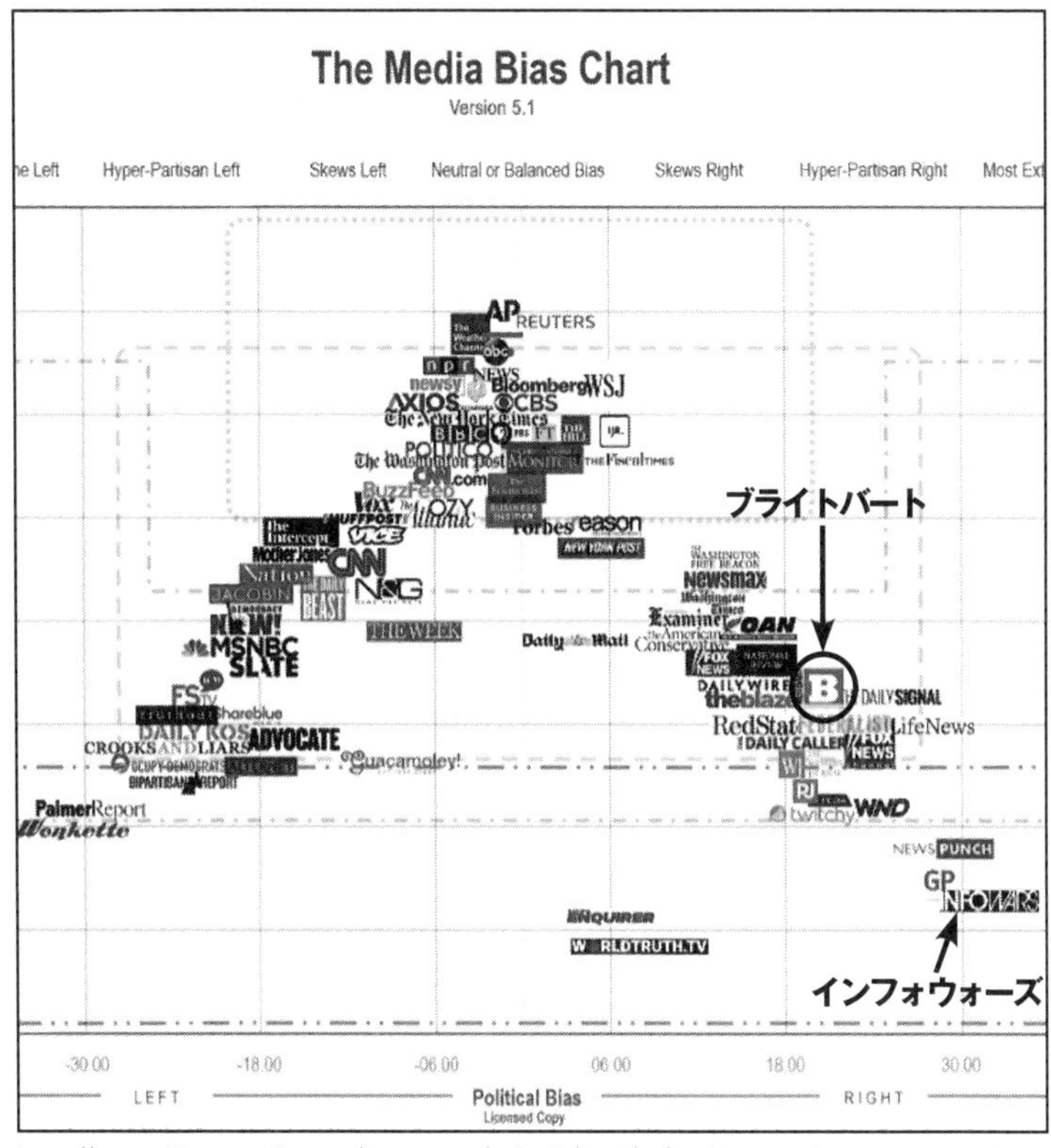

https://www.adfontesmedia.com/wp-content/uploads/2019/11/Media-Bias-Chart-5.1-Licensed.jpg

左派メディアとしてのCNNの信頼性の低さを揶揄したシール。1950年代の粉末ジュース“クールエイド”の広告を元に、グラスにＣＮＮのロゴを貼り、「これを毎日たくさん飲もう！」「民主党クールエイド／このうえなくおめでたく、無知で反米リベラルな精神状態を保つために」との文言が入っている。

央よりやや右下、四角の中の「B」がブライトバートです。

この表でブライトバートはHyper-Partisan Right（党派性が非常に強い右派）に位置づけられています。Hyperは「超」「非常に」、Partisanはゲリラのパルチザンと同様に党派性が強いことを表す言葉です。

なお、この“Hyper-Partisan”の語ですが、以前のチャートでは、この部分は“Garbage”の語が充てられていました。直訳すると〝ゴミ〟の意味ですから、日本語風にいえば〝ゴミ右翼／ゴミ左翼（ゴミウヨ／ゴミサヨ）〟という感じになりましょうか。

現在では、「このチャートで示されるメディアの左右の偏りは、あくまでも中央から離れている程度を示すもので、報道している情報の価値とは無関係」という理由で“Hyper-Partisan”という表現に変更されたと説明されています。したがって、理論上は、Hyper-Partisan Rightで、なおかつ情報の信頼性も高いメディアもありえるわけですが、実際には、左右ともにHyper-

Partisan のグループに位置するメディアの信頼性は低いものばかりです。左右どちらにせよ、あまりにも極端な主張を展開するメディアはそれだけで信頼性が損なわれていて、ゴミ同然、というのが実態ということなのかもしれません。

さて、チャートでは信頼性は五六点満点中、三〇点が中央値です。ブライトバートは中央下部の二三・五〜三〇のカテゴリーにあり、「鵜呑みにはできないが、まったくの嘘八百を書いているわけではない」という位置づけです。

最近の米国大手メディアによるブライトバートへのバッシング報道などを見ていると、「あれっ、極右の嘘記事じゃなかったの？」と思われそうですが、下には下、右には右があるのです。

一般的に日本人がよく目にする外電といえばロイターやAPですが、ここを標準とすると、たしかに今のブライトバートは極右メディアのトンデモ記事に見えるでしょう。しかし、それでも全体像からすると平均よりやや下ぐらいの位置づけなのです。

ブライトバートメディアは営利企業ですから、売らなければいけません。そのためには、よりキャッチーなフレーズ、刺さる言葉が必要です。すると、どうしても過激化していく。

リベラルが今ある問題を指摘するのに対して、リベラルに対するアンチリベラルを形作る、いわゆる保守系メディアが新しく出ていく場合には、より尖鋭化した市場のたしかなリベラルを狙っていかざるをえない。それで、深みに嵌（はま）っていった面が構造的にあります。

これはバノンとブライトバートに限らず、ネットメディア共通の傾向です。ネットでトランプ支持者の、リベラルを嫌うオルト・ライト的な価値観が広まっていく中で、二〇一六年の大統領選挙の終盤になって、非常に象徴的な事件が起こります。

次章はQアノンにつながる有名な事件についてお話ししたいと思います。

第四章

ピザゲート事件

――子供たちを救出……のはずが

「オルタナ・ライト」の誕生

二〇一六年一〇月三〇日、ドナルド・トランプ対ヒラリー・クリントンの大統領選挙の一週間ほど前のことです。

自称〝ニューヨーク市在住のユダヤ人弁護士〟の白人至上主義者デイヴィッド・ゴールドバーグがツイートしました。

「ニューヨーク市警察がアンソニー・ウィーナー下院議員の不祥事を調査したところ、小児性愛者(ペドファイル)グループと民主党員がつながっていることを発見した」

「その中心にいるのはヒラリー・クリントンだとの噂(うわさ)がある」

数カ月前、七月二日の時点でＦＢＩアノンと名乗る自称「ハイレベルなアナリストおよびストラテジスト」である匿名投稿者が「(モニカ・ルインスキー事件をはじめとする) クリントン事件の内幕に詳しい」とすでに主張していました。

「アノン」はアノニマス (Anonymous 匿名) の略ですので、Ｑアノンの専売特許ではありません。他にも「〇〇アノン」がいるのです。ＦＢＩアノンはＦＢＩの内部告発者を思わせるハンドルネームで、クリントン財団の捜査について、あることないこと誹謗中傷するツイートを次々と投稿しました。「トランプが大統領になったらヒラリーは投獄されるに違いない」とも。

同時期にＨＬＩアノン（High-Level Insider Anon）もいて、オンライン上で延々と書き込み、ツイートをしていきます。長時間に及ぶ質疑応答を通じて、さまざまな陰謀論を主張します。極端なものでは「二〇〇一年の九・一一米国同時多発テロ事件を阻止しようとしていたためにダイアナ妃は暗殺された」などがあります。

二〇一一年以降、ティーパーティー運動が徐々に下火になっていく中で、二〇一二年にアンドリュー・ブライトバートが急逝し、スティーブン・バノンの主導下で、ブライトバート系メディアが急速に右旋回していきました。そのバノンがトランプ陣営の選挙対策本部の最高責任者に就任したのは二〇一六年八月のことですが、これにより、ネット上のオルト・ライト／オルタナ・ライト勢力とトランプが〝反ヒラリー〟という接点で結びつくことになります。

その結果、エスタブリッシュメントの象徴であり、なおかつ、女性候補としてリベラルの象徴ともなっていたヒラリーに対する誹謗中傷は加速度的に拡大。その圧力に耐えきれなくなったヒラリーは、八月二五日、ネバダ州リノの選挙集会で次のような趣旨の演説を行います。

トランプの選挙は〝偏見とパラノイア〟に基づき、反セム主義（＝反ユダヤ主義）と白人ナショナリズムを擁護するものであり、従来は米国政治における〝傍流にすぎない一部パラノイア〟だったもの（＝オルタナ・ライト）を主流に押し上げてしまった。

このオンライン運動は、大抵の場合、緩やかな組織となっており、『ウォールストリートジャーナル』によれば、保守主流派を否定し、ナショナリズムを昂進させ、移民と多文化主義を白人としての同一性への脅威とみなしている。彼らは、〝人種差別主義者（racist）〟ではなく、〝人種考慮主義者（racialist）〟と自らを称し、〝白人至上主義〟ではなく〝白人ナショナリズム〟を語るだろう。しかし、騙されてはいけない。（ナチスという）同じような先例について聞いたことがあるはずだ（https://www.vox.com/2016/8/25/12647810/hillary-clinton-speech-alt-right）。

実は、本書でもこれまで何度か使用してきましたが、〝オルタナ・ライト〟という言葉が政治の表舞台で堂々と語られるようになったのは、このヒラリー演説が最初といわれています。

オルタナ・ライトという語を考案した人物については諸説ありますが、一般的にはリチャード・スペンサーとされています。

リチャード・スペンサーは、一九七八年、マサチューセッツ州ボストンの裕福な家庭（父親は眼科医で、母親は綿花農場主の娘）に生まれ、テキサス州ダラスで育ちました。シカゴ大学在学中、雑誌『アメリカン・ルネサンス』の編集者で、〝ホワイト・ジェノサイド〟を主張していたジャレット・テイラーに感化されます。

テイラーのホワイト・ジェノサイドは、移民、高い出生率、雑婚、多文化主義、犯罪などによって、非白人が人口の上で白人を凌駕（りょうが）し、白人を同化し、白人としてのアイデンティティを抹殺しようとしていると考える陰謀論で、人種間には、白人→ヒスパニック→アジア系→アフリカ系という能力差のピラミッドがあるとしています。

その反面、〝白人〟を拡大させることを優先しているため、欧米の一般的な極右思想とは異なり、反ユダヤ主義的な傾向がほとんど見られない（＝ユダヤ人／ユダヤ教徒は、〝白人〟として自分たちの運動に取り込もうとするため）のが特徴とされています。

スペンサーは、複数の大学を卒業した後、保守主流派の雑誌『アメリカン・コンサヴァティヴ』の編集助手になりましたが、ホワイト・ジェノサイドを信じるなど、その過激な政治的スタンスのため解雇されました。そのため、『アメリカン・コンサヴァティヴ』の創刊メンバー、タキ・テオドラコプロスが主宰するオンライン機関誌『タキズ・マガジン』に移りました。

スペンサーは、同誌の編集部で編集者としての訓練を積むとともに、思想的には〝人種考慮主義者〟としてより尖鋭化（せんえいか）。二〇〇九年に独立して、『オルタナティヴ・ライト・ドットコム』を創刊しました。スペンサーは、これが〝オルタナ・ライト〟の語源になったと主張しています。

しかし、スペンサーの主張は、テイラーが主張するホワイト・ジェノサイドでは除外されていた反ユダヤ主義も含み、古典的な白人至上主義そのものといえるものです。

とりあえず、自分はネオナチではないとしているものの、演説などでは、ナチスのプロパガンダ、特に反ユダヤのプロパガンダを（それとわかるかたちで）繰り返し引用していますし、ヒトラーを非難することを拒否してもいます。

何より、腕をまっすぐ斜め上へ伸ばすナチス式の敬礼（本来は古代ローマの儀式で行われていた作法ですが、現在ではそのように理解している人はごく僅かでしょう）を行い、さらにヒトラーを真似ていると思しき髪型をしているくらいです。

したがって、オルト・ライトから反ユダヤ主義を除いたものをオルタナ・ライトと称するなど、たしかに用語「オルタナ・ライト」を作ったのは彼かもしれませんが、彼自身はオルト・ライトに近いということになりそうです。

レッド・ピラー論：少数の覚醒した者のみが〝真実〟を知り、〝嘘の世界〟と戦う

ただし、スペンサーの主張の中には、Qアノンにもつながる重要な要素がひとつ含まれています。それは、一九九九年公開の映画『マトリックス』を引いて彼が展開した〝レッド・ピラー〟論です（https://www.theatlantic.com/magazine/archive/2017/06/his-kampf/524505/）。

映画『マトリックス』は仮想現実空間を舞台に人類とコンピュータの戦いを描いたSFアクションです。ご存じの方も多いと思いますが、その世界観を簡単に紹介します。

プログラマーとしてソフト会社に勤務するトーマス・アンダーソンは、ネオという名で知られた凄腕（すごうで）ハッカーですが、最近、起きているのに夢を見ているような感覚に悩まされ「自分が生きているこの世界は、もしかしたら夢ではないか」という、漠然とした違和感を抱いていました。

ある日トーマスは、「起きろ、ネオ」「マトリックスが見ている」「白ウサギについて行け」という謎（なぞ）のメールを受け取り、その直後にトリニティと名乗る謎の女性と出会います。そして、トリニティから彼を探していたという人物、モーフィアスを紹介されました。モーフィアスは、人類が現実だと思っている世界が実はコンピュータにより作り出された仮想世界の〝マトリックス〟であり、トーマスをはじめとする人間たちはコンピュータに支配され、眠らされているという〝真実〟をトーマスに明かします。

映画『マトリックス』の宣伝絵葉書。

そのうえでモーフィアスは、このまま仮想現実で生きるか、現実の世界で目覚めるかの選択をトーマスに迫り、トーマスは現実の世界で目覚めることを選択します。そして以後、トーマスの名を捨ててネオと名乗り、彼こそが世界を救う救世主だと信じるモーフィアスやトリニティとともに、コンピュータが支配する世界から人類を救うための戦いに身を投じていきます。

『マトリックス』では、モーフィアスはトーマスに選択を迫る際、青と赤の錠剤を選ばせています。すなわち、青い錠剤を選べば彼は再び眠りに落ちて、今まで通りの世界に戻る。一方、赤い錠剤を選べば、覚醒して〝真実〟を知るようになるが、その結果として人間を抑圧するコンピュータと戦わねばならない。そして物語では、トーマスは赤い錠剤を選んだ者、つまり〝レッド・ピラー〟になるわけです。

スペンサーは、この構造を援用して現実世界を説明します。

彼によると、自由主義、多文化共生、人種の平等などはすべて〝嘘の世界〟であり、西洋社会のほとんどすべての人々は青い錠剤を選んでしまっている。これに対して、自分とその支持者たちは〝真実〟にめざめたレッド・ピラーであり、それゆえ、青い錠剤の世界を打倒しなければならないというのです。

ところで、米国では、青は民主党、赤は共和党のシンボルカラーですから、スペンサーやその支持者たちからすると、多文化共生や人種間の平等など民主党の進めようとしているリベラル政策、すなわち〝嘘の世界〟が、民主党を象徴する青い錠剤と結びついているのは決して偶然とは思えない。その前提に立って、彼らは（共和党のシンボルカラーである赤色の錠剤を飲んだ）レッド・ピラーとして〝嘘の世界〟と戦わねばならないという結論が導き出されるのです。

ちなみに、映画を監督したウォシャウスキー姉妹は、いずれもトランスジェンダー女性（出生時の性別は男性）であり政治的には民主党の支持者ですから、スペンサーが理解しているような意図を込めて、青い錠剤と赤い錠剤を映画に登場させたわけではないでしょう。

さて、二〇一六年八月二五日のヒラリーの演説に、〝人種考慮主義者（racialist）〟や〝オルタナ・ライト〟という一般には耳慣れない言葉が登場したため、多くの人がそれらをネットで検索しました。はたして、演説が行われた際、スペンサーは東京のホテルに滞在していましたが、即座に取材（依頼）のメールが彼の元に殺到。この瞬間、スペンサーは大いに達成感を感じたといいます。

クリントン演説の後、ワシントンDCに戻ったスペンサーは、「オルタナ・ライトは〝もはや守るべきものがない保守派〟のためにある」と発言します。反リベラル、反エスタブリッシュメント、反ヒラリーのオルト・ライト／オルタナ・ライトとトランプの親和性があらためて確認さ

反トランプ派が、トランプをヒトラーになぞらえて非難するために制作した切手風のラベル。いずれも、国名表示は“UNITED STATES OF AMERICA（アメリカ合衆国）”の代わりに“DIVIDED STATES OF AMERICA（分断国家アメリカ）”になっている。

れた形となりました。なお、トランプ本人は、娘のイヴァンカが正統派ユダヤ教徒のジャレッド・クシュナーと結婚するために正統派のユダヤ教に改宗し、彼女が孫を産んだことで〝ユダヤ人〟の祖父になっています。クシュナー夫妻はトランプ政権の要人として活動しており、トランプが公私ともに反ユダヤ主義者でなかったことは明らかです。

ただし、トランプは（少なくとも選挙期間中は）スペンサーやオルト・ライト／オルタナ・ライトの支持を拒否せず、彼らのツイートをリツイートするなどして、彼らに同調しているともとられかねない対応をとりました。民主国家の政治家が選挙によって選ばれる以上、自分に投票してくれる可能性の高い支持層の機嫌を損ねないというのは、選挙戦術としては当然ありうる選択です。

ヒラリー・クリントンはそうしたトランプの姿勢を批判しましたが、皮肉なことに、それがスペンサーのレッド・ピラー論やそれに類する言説を爆発的に拡散させました。それまでネット上の片隅に逼塞（ひっそく）していたオルト・ライト／オルタナ・ライトの存在に、全米レベルのスポットライトが当たる結果になったのです。

逆に、ヒラリーやリベラル派の人々が、トランプをヒトラーになぞらえて非難すればするほど、本物のヒトラー支持者がトランプを支持するようになっていきました（前図）。

いずれにせよ、ごく少数の覚醒した者のみが〝真実〟を知り、〝嘘の世界〟と戦うのだというレッド・ピラー論が、Qアノンに限らず、アノニマス／アノン系の陰謀論が拡散していくうえでの土壌を醸成する一端を担ったということには留意しておくべきです。

ピザ店はつらいよ――陰謀論のとばっちり

こうした背景の下、大統領選挙直後の二〇一六年一一月第一週目、ＣＩＡアノンとＣＩＡインターン（CIA Intern）二人の匿名投稿者が登場し、自分はＣＩＡの高官であると語って、民主党に影響するデマ情報を流し始めます。

ほぼ同じ時期に、ヒラリー・クリントン陣営の選挙責任者であったジョン・ポデスタの私的な電子メールが、ハッキングによってウィキリークスに流出しました。これは現時点で確証はないのですが、ロシアの工作である可能性が極めて高いと言われています。

リークされた情報の中には、「サウジアラビアの一部勢力がＩＳに資金援助をしているのを知りながら、クリントン財団が二五〇〇万ドルの献金を受けていた」というものがありました。

もっともサウジアラビアに限らず、中東では政府がテロリストを配下として飼っていて、代理戦争のような形で戦わせているというのは周知の事実です。たとえば、トルコ、シリア、イランが、互いに相手国内のクルド人勢力に資金を与えて、何かあると後ろから糸を引いて騒動を起こさせるなどザラにあるわけで、（少なくとも二〇一四年頃までは）サウジアラビアがＩＳとつながっていたことなど、本来、裏情報でも何でもありません。

しかし、そのサウジアラビアからクリントン財団が多額の献金を受けていたとなると、民主党とヒラリーのイメージにとっては大打撃です。民主党は腐っていると非難囂々です。

しかし、それ以上にセンセーションを巻き起こしたのは、リーク情報の中に「ピザ」「ホットドッグ」などの隠語を含む大量のメールがあり、それらが小児性愛（ペドフィリア）や人身売買を示唆する暗号ではないかとの憶測でした。

「オバマは六万五〇〇〇ドル相当のホットドッグをシカゴに輸送する」

このホットドッグとは何か。人間、好きな話は下ネタで、とりわけネット世界でさまざまな説が湧（わ）いて出ます。これは幼児を送って関係者に抱かせているのではないか、と。

インターネット掲示板4chanの投稿者は、別のメールの「チーズ」や「ピザ」に反応し、「"cheese pizza"のイニシャルはCP、つまり"child pornography"（児童ポルノ）の略ではないか」とし、ネットで騒ぎが拡大しました。

この手の話は、単に面白がって言っているだけなら実害はないのですが、困ったことにワシントンDCに「コメット・ピンポン」というピザ店があるのです。しかも、経営者のジェームズ・アルファンティスは熱心な民主党支持者でした。

そこで、陰謀論が出てきました。

陰謀論	ワシントンDCのピザ店、コメット・ピンポンの地下室で、悪魔崇拝の儀式が行われたり、幼児売春の拠点になっている。

全米から行方(ゆくえ)不明になった子供たちが、ワシントンDCのピザ店コメット・ピンポンの地下に集められて、オバマとクリントン一味の売春セックス接待の餌食(えじき)になっているということがまことしやかに噂されたのです。ピザゲート事件と呼ばれます。

ちなみに、全米行方不明・非搾取児童センター（National Center for Missing & Exploited Children）が行った児童が行方不明になる原因についての調査によると、自発的な「家出」が最も多く、二番目は「家族による誘拐」、つまり離婚後、親権が認められなかった方の親が連れ去ってしまうケースで、家族以外による児童売買春強要や身代金目的など、明確に誘拐と確認された事例は少数派です。

たとえば、テネシー州では、二〇二〇年秋から「ボランティア・ストロング」と銘打って行方不明となった子供（一八歳未満）たちの捜索・救出キャンペーンを展開し、州全域で二四〇人の行方不明の子供を特定しました。そして、二〇二一年一月から救出を開始した結果、同年三月五日までの二カ月間で一五〇人を発見しています。

当局の話では、救出に至るまでの状況は子供によってさまざまで、自分の意思で家出した子、別の家族と生活していた子、虐待や搾取を受けていた子などがいましたが、人身売買の被害者とみられる子は五人でした。

一五〇人中五人という数字をどう考えるかは人それぞれでしょうが、少なくとも、行方不明になった子供のうち、人身売買の被害者が多数派でないことだけは事実です（https://www.bbc.com/news/world-us-canada-56283634）。

しかし、陰謀論者たちは全米から誘拐された幼児がピザ店コメット・ピンポンの地下に集められて、オバマに六万五〇〇〇ドルで配達されているという妄想にかられてしまいました。

疑惑は後述のインフォウォーズ（Infowars.com）など、これまたブライトバートに輪をかけたような陰謀論系のサイトで盛んに取り上げられ、さらに右派系のマイク・セルノヴィッチやブリタニー・ペティボーン、ジャック・ポソビエックら活動家が拡散していきます。

怪しげな活動家が何を言っても「バカが何か言っている」で済むのですが、なかにはＮＢＡの選手アンドリュー・ボーガットのような著名人も賛同し、拡散に一役買っています。

ボーガットはこの時期、たまたま膝の故障のため試合を欠場していましたが、一部のトランプ支持者の間では、「彼はこの説に賛同したために民主党のディープ・ステイトの連中、あるいは、クリントン一味から膝を割られて怪我をさせられた」という陰謀論が出ていました。そのため、一二月三〇日に怪我が治って試合に復帰すると、「よく戻ってきた、ボーガット」と大喝采を受けました。

政府の陰謀を言い出した元祖、インフォウォーズ

ピザゲート事件を広めたのはインフォウォーズです。一五一頁のメディア・バイアス・チャートをもう一度見てください。ブライトバートについての説明で、下には下、右には右がいると述べましたが、最下位・最右翼が、このインフォウォーズです。

インフォウォーズは、一九九九年にアレックス・ジョーンズが設立しました。ジョーンズは一九七四年、テキサス州ダラス生まれ。彼が司会を務めるラジオトーク番組アレックス・ジョーンズ・ショーは全国に中継されています。

陰謀論デビューはインフォウォーズ設立前の一九九五年、オクラホマシティ連邦政府ビル爆破事件に遡ります。

イスラム過激派、後に九・一一米国同時多発テロ事件を起こすビン・ラディンのアルカイダなどが、湾岸地域で米軍基地へのテロ攻撃を起こしていた頃だったので、事件当初は、これもイスラム過激派のテロではないかと言われていました。ところが、蓋を開けてみると白人至上主義者の退役軍人、ティモシー・マクベイらの犯行であることがわかり、いわば「身内」の犯行に全米がショックを受けたのです。

このときジョーンズは、事件に米国政府が関与していると糾弾する陰謀論を唱え出しました。そして、これを契機に連邦政府の共謀関係を問う陰謀論、すなわち「米国内で起きるテロは、実は米連邦政府が裏にいて、テロを口実に銃規制や国民の干渉を強化しようとしている。警察国家の強化をはかろうとしているのだ」という言説がしきりと囁かれるようになり、ジョーンズもそれを熱心に拡散していました。

ちなみにテキサス出身のアレックス・ジョーンズは、ジョージ・Ｗブッシュがテキサス州知事であった頃にも、ひと悶着、起こしていました。一九九八年、ブッシュ支持者の集会の最前列に紛れ込んで、ブッシュの演説中、「連邦準備制度理事会（ＦＲＢ）と外交問題評議会（ＣＦＲ）を廃止すべきではないか。これが諸悪の根源だ」などと聞かれもしないのに質問して、警備員につまみ出されています。

ジョーンズ、九・一一米国同時多発テロを予言？

二〇〇一年九月一一日、米国同時多発テロが起こります。ハイジャックされた飛行機がワールドトレードセンタービルや国防総省本庁舎（ペンタゴン）に突入した事件です。高層ビルが崩れ落ちる映像は世界を騒然とさせました。

実は、このテロ事件が起こる二カ月前、アレックス・ジョーンズは自身のラジオで「米国の軍産複合体がオサマ・ビン・ラディンとアルカイダを利用して自作自演のテロを起こす」と警告し、議員に「政府がテロを計画していることを我々は知っている」と電話で伝えるようリスナーに呼びかけていました。

九・一一同時多発テロ事件は、オサマ・ビン・ラディンを首謀者とするアルカイダの犯行ということが明らかになっており、米国の軍産複合体の関与も否定されていますので、自作自演説というジョーンズの主張は事実と異なるものの、とにもかくにもテロ事件が発生したことでジョーンズはテロを予言したとして、事件後、いちやく時の人になります。

ジョーンズは「情報筋から入手した秘密情報だ」「今までの取材やこれまでの研究から予測は容易だった」などと主張し、支持者を獲得。このように運も味方して（？）、徐々にインフォウォーズはオカルトが入ったトンデモ系のサイトとして読者から一定の支持を得ます。

左右を問わず、わかりやすい〝敵〟を設定して叩くというのはプロパガンダの基本ですが、二〇一一年秋の「ウォール街を占拠せよ（Occupy Wall Street）」運動[注]（オキュパイ運動）に対する評価は、その点で興味深い事象となりました。

当初、ジョーンズらオルト・ライト／オルタナ・ライトの活動家の中には、オキュパイ運動を既存のエスタブリッシュメント（＝前述のスペンサー風に言えばブルー・ピラー）に対する抵抗運動として、これを好意的に評価し、支持を表明する者も少なくありませんでした。ジョーンズ自身も、「米国民がついに目覚めた」とオキュパイ運動への支持を明らかにしていました。

ところが、この運動に彼らが〝憎むべき悪魔〟とみなしているジョージ・ソロスが資金提供を行っていたことがわかり、またアル・ゴアやミハイル・ゴルバチョフなどの大物グローバリストが運動への支持を表明し始めたことから、支持を撤回。ジョーンズは手のひらを返したように「この運動は社会主義者が組織した統御された反対派（Controlled Opposition）であり、米国版のカラー革命を起こそうとしている」と非難しはじめます。

その過程で、ジョーンズは、悪の根源は連邦準備制度（米国の中央銀行制度）と六つの巨大銀行（Six Mega-Banks：ゴールドマン・サックス、ＪＰモルガン・チェース、バンク・オブ・アメリカ、ウェルズ・ファーゴ、モルガン・スタンレー、シティグループ）であるとして、銀行を批判する「連銀を占拠せよ（Occupy The Fed）」運動を立ち上げます。そして、ダラス連邦準備銀行前で、私有銀行による独占的な通貨発行権の廃止を主張する抗議デモを行うなど活発な活動を行ってきました。

ジョーンズの主張――左右を分けるのは時代遅れ

ところで、オルト・ライト／オルタナ・ライトは〝ライト〟である限り、既存の政治的な物差しでは〝右派〟に分類されます。当然、アレックス・ジョーンズとインフォウォーズもそこに分類されるわけですが、ジョーンズ本人は、そもそも右翼対左翼という二分法そのものが、支配者が人民を分断統治（divide and rule）するために生み出した虚構であって、すでに時代遅れになっていると主張しています。

ジョーンズの主張

これまでの歴史上現れた政治体制では、右翼の全体主義（ファシズム）も左翼の全体主義（共産主義）も、同様に独裁的な専制が行われ、また大量虐殺が行われた。支配層は一方でナ

（注）ウォール街を占拠せよ（Occupy Wall Street）」運動：ニューヨーク市のウォール街で始まった米国の経済界や政界に対する抗議運動。九月に始まり、一〇月には全米に広がった。

チスなどのファシズムを支援し、左翼は反ファシズムと称して大同団結する。しかし、その一方で本当の支配層はボルシェビキなどの共産主義も支援している。

こうして、裏で対立するものを操って完全な支配（Full spectrum dominance）をもくろんでいる。右翼や左翼などと言って対立するのは彼らの手のひらで踊っているだけだから、それを超克し、集団主義（Collectivism）の右翼／左翼の偽のパラダイムから脱しなければならない。

合衆国憲法、特に権利章典（Bill of Rights）を最重視する立場から、中でも修正第二条（人民の武装権）を擁護する立場から、銃規制には絶対に反対である。

ジョーンズはグローバル化にも反対ですから、北米自由貿易協定（NAFTA）や北米連合（NAU）構想にも絶対に反対です。特定地域のブロック化とグローバル化は対立概念のようにも見えますが、彼の理解では、国家の主権が制限されるという点において、その本質は同じであり、グローバリストは地域ブロック化を拡大していくことで、人々の目を欺き（あざむき）つつ、世界統一政府を作ろうとしているのだということになります。

ジョーンズの批判――リベラルはナチスと同じ

二〇〇八年にバラク・オバマが大統領選挙に勝ち、二〇〇九年にオバマ政権ができると、ジョーンズの批判はエスカレートしていきます。

ジョーンズの批判

オバマは真の支配者に送り込まれたエージェントだ。民主党と共和党は争っているように見えて、実は軍産複合体や連邦準備制度の是非など真に重要な問題についてのスタンスはまったく一致しているではないか。そのため米国の政治制度は、中身が同じ二つの政党による二大政党ではなく、実質的には独裁政治だ。彼らが隠れ蓑（みの）になって、国民の目が真の支配層に届かないようになっている。真のディープ・ステイトは裏で笑っているのだ。

ヨーロッパ王族や米国の知識人、特に環境保護・持続可能性・生物多様性といったお題目を唱える科学者やエコロジストは、結局、優生思想の持ち主である。

ヒトラーやナチスは批判されているが、ヒトラーやナチスの優生思想の元は何か。それは社会ダーウィニズム、社会進化論である。あるいは、いわゆる人種主義だ。それを信奉していたのは当時の米国のリベラル派知識人ではないか。

ナチスの場合は、ホロコーストのやり方があまりに杜撰（ずさん）かつ露骨であったため非難され、失敗に終わったが、現在はそれを巧妙にカモフラージュしながら行われている。

たとえば水道水へのフッ素添加や遺伝子組み換え作物、コカ・コーラなど人工甘味料などによって不妊化し、子供が生まれにくくなっている。エイズウイルスは人工的に作られ拡散された。そのほか、国連主導の強制避妊や一人っ子政策推進などなどにより、洗練され見えにくい形で人口削減が行われている。

このように独特の立場を貫いているメディアなので、一五一頁のメディア・バイアス・チャートでのインフォウォーズの評価は、ブライトバートの位置していたハイパー・パルチザンよりさらに外側の「極右」（the most extreme right）にあります。信頼度もはるかに下がり、一〇・五～一七、ほとんど信頼に値しないグループです。

それでも、チャートには、ある程度大きなメディアでないと載りません。したがってゴミだろうが極右だろうが、インフォウォーズはいちおう全米規模の一般向けメディアとしての地位を確立しているのです。

このインフォウォーズなどのトンデモメディアが中心となってピザゲート事件が拡散されていったのです。

陰謀論の素地にエプスタイン事件

ピザゲート事件の前史が長くなっておりますが、もう少し、おつき合いください。

インフォウォーズなどの怪しげなメディアが「コメット・ピンポンの地下室に子供たちが……」と発信したとして、なぜ人々がこれを信じるのか不思議に思われるかもしれません。

ピザゲート事件のような荒唐無稽（こうとうむけい）の話が多くの人に受け入れられるのは、実際に似たような事件があるからです。

ヘッジファンドの運用で資産を築いた億万長者のジェフリー・エプスタインが二〇一九年八月、自殺体で発見され、他殺ではないかなどとの憶測を呼んでいます。しかし、彼がマスコミを騒がせたのはこのときが初めてではありません。二〇〇八年に小児性愛（ペドフィリア）で逮捕され、実際に有罪となって収監されたことがありました。以前から小児性愛の疑いは持たれていたのですが、告発で明らかになったのです。

エプスタインは個人でカリブ海の島を所有し、そこの別荘では一〇代の少女が乱交パーティーに参加させられていたと言われます。英国のアンドリュー王子やクリントン元大統領ほか著名人が島に入ったことがあるとされ、ネット界隈（かいわい）だけでなく大メディアでも取り上げられた事件なので、よく知られています。つまり、エプスタインが小児性愛者（ペドファイル）であるばかりでなく、子供を著名人に斡旋（あっせん）していた疑いが持たれ、お客には民主党が多かったと囁（ささや）かれているのです。

そんな事件があり、「エプスタインはビル・クリントンと親しい。民主党と関係がある。民主党は小児性愛者のかたまりだ」との論理（連想）がすでに働いているものですから、ピザゲート事件でも「やっぱり民主党は……」となるわけです。

政治家のセックス・スキャンダルは、古今東西、別に珍しいものではありませんが、二〇〇〇年代以降、特に小児性愛や同性愛のセクハラ系トラブルが表沙汰（おもてざた）になることが多くなりました。カトリックの司祭による子供の性的虐待などが全世界的に問題となり、えてして身内を庇（かば）いがちなバチカンに批判の目が向けられています。日本ではあまり大きく報道されませんが、ヨーロッパなどでは、それでカトリックから脱会する人も増えたので、まじめに対応せざるをえない状況となっています。

エプスタインはトランプと一緒に写真に写っていたりもしますが、トランプとの関係が云々（うんぬん）されることは少ないようです。億万長者で政治好きなエプスタイン、小児性愛が好きな人には、しかるべき相手をあてがう。ただ、トランプの性的嗜好（しこう）はエプスタインとは異なっていたため、そこには引っかからなかったということではないでしょうか。

どこまで本当なのか、細かいコトの真偽は置いておくとして、ジェフリー・エプスタインのような政財界に多くの「友人」を持つ大金持ちが小児性愛者であり、明らかに犯罪者であったことは事実なのです。

二〇二〇年一〇月に行われたYahoo/YouGovによる世論調査（次頁上図）によると、トランプ

トランプ支持者の半数は民主党員は児童売春に関与していると考えている

■:Yes　■:よくわからない　■:No

民主党幹部はエリートによる子供の性的人身売買に関わっていると思いますか？（%）

	Yes	よくわからない	No
登録選挙人	25	24	51
バイデン支持者	5	13	82
トランプ支持者	50	33	17

トランプ大統領は民主党幹部が関与するエリートによる子供の性的人身売買をなくすために取り組んでいると思いますか？（%）

	Yes	よくわからない	No
登録選挙人	24		47
バイデン支持者	4	16	80
トランプ支持者	52	37	12

出典：https://today.yougov.com/topics/politics/articles-reports/2020/10/20/half-trump-supporters-believe-qanon-theory-child-s

支持者の半数は、「民主党員は児童売春組織に関与している」というイメージを持っています。そして、「トランプ大統領は民主党幹部が関与するエリートによる子供の性的人身売買をなくすために取り組んでいる」と信じている人もまた、トランプ支持者には半数以上います。

一部の事実に基づいた一定の想像力によって、「誘拐された子供がコメット・ピンポンの地下に集められて……」のような陰謀論も、話が荒唐無稽だからといって一概に一蹴（いっしゅう）できない土壌がすでにできあがっていたのです。

エプスタインの犯罪は事実。ヒラリーやその側近のメールがウィキリークスに流出したのは事実。怪しげな文が書かれていたのも事実。妄想はそこからどんどん膨れあがり、やがて、社会現象になっていきました。

ピザ店に地下室はなかった

何度でも繰り返しますが、陰謀論を信じるか信じないかは各自の勝手です。また、娯楽としての陰謀論は、小説や映画の魅力的なプロットになることもあるでしょう。事実無根の噂が広がれば名誉棄損で訴えられ、裁判で賠償金の支払いを命じられることもありますが、それだけなら所詮は金を払えば済む話です。

しかし、免疫のない人にいきなり陰謀論を吹き込んでしまうと、それを事実だと信じ込んで、怒りにまかせて行動に移してしまう場合があるので厄介です。

二〇一六年一二月四日、エドガー・マディソン・ウェルチという男が銃を持って、ピザ店コメット・ピンポンに押し入りました。コメット・ピンポンの地下に誘拐された子供たちが監禁されていると信じていた彼は、義憤にかられ、店の奥にある事務所に銃弾を撃ち込み、カギを壊して「さあ地下室の子供を救うぞ」と室内に侵入。

しかし、そもそも店には地下室そのものがありませんでした。ウェルチは愕然としました。外で取り囲む警官隊に投降し裁判を受け、有罪判決が出ます。

ちなみに、このウェルチは非常に敬虔な人らしく、本人としてはあくまでも正義感に基づく行動だったのです。裁判を受ける過程では「私は自分の行いがいかに馬鹿げており、無鉄砲なものであったのか、気がつきました」と深く反省したと伝えられています。

非常に笑えないオチですが、少なくとも襲撃事件によって、コメット・ピンポンは児童誘拐や性的虐待に何の関係もなかったことが判明しました。

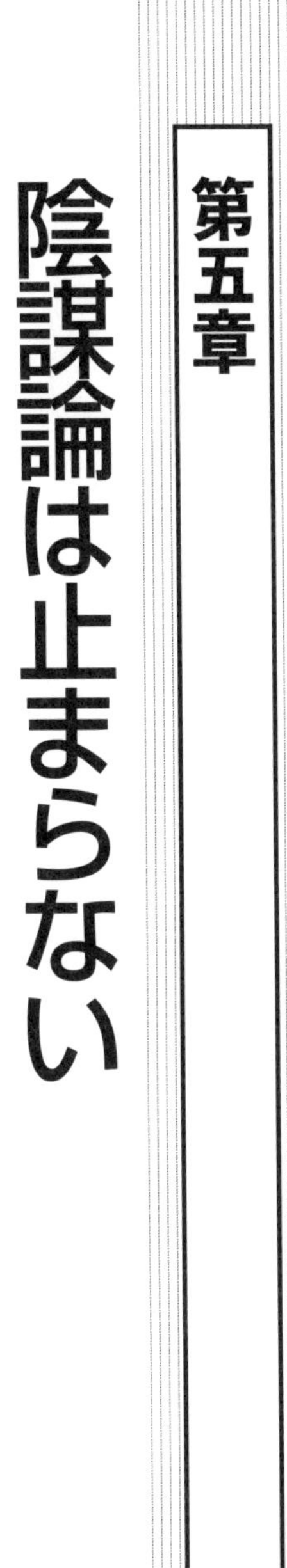

第五章

陰謀論は止まらない

根拠のないデマ

ピザゲート事件は一件落着かと思いきや、その後も事件への言及は止まりません。それも、濡れ衣(ぎぬ)であったとする訂正記事ではなく、ピザ店が人身売買の巣窟(そうくつ)であるという陰謀論のほうです。そのため、Qアノン信奉者にはピザゲート事件を本当にあったこととして書き込みをする人がいまだに少なくありません。

かつて元社会民主党党首の土井たか子(一九二八〜二〇一四)が雑誌に在日朝鮮人であると書かれました。虚偽の報告を元にした記事であり名誉毀損(きそん)だとして裁判に持ち込み、土井は勝訴しています。つまり、被告側は損害賠償を払わされ、嘘であることが確定しているのです。それにもかかわらず、いまだにネットの世界では「土井たか子は朝鮮人だ」と書かれ続けています。福島瑞穂(ふくしまみずほ)も証拠なく朝鮮人とされることがあります。そうでないことが公に明らかになっていても、ネット上では土井たか子や福島瑞穂は在日朝鮮人だと言われ続けるのです。

米国のオルト・ライト／オルタナ・ライトも似たような状況といってよいでしょう。

土井たか子や福島瑞穂は政党の委員長を務めた有力政治家ですから、その言動が日本の国益を守るためにふさわしくなければ、批判されるのは当然です。しかし、いくら公人だからと言って、根拠もなしに誹謗(ひぼう)中傷してもよいことにはなりません。

ましてや、コメット・ピンポンは善良な一市民が経営する民間の飲食店です。根拠のないデマに踊らされた人物が銃を持って襲撃することなど、断じて許してはいけないのです。

トランプ政権発足

さて、前章までで見てきたように二〇一六年の大統領選挙では、反リベラル、反ヒラリー、反民主党の文脈から、オルト・ライト／オルタナ・ライトの支持がトランプに集まりました。スティーブン・バノン率いるトランプ選対（選挙対策本部）もそれを追認するかたちで、大統領選挙に勝利を収めました。

たとえば、トランプの移民政策についての議論はその典型です。

移民問題についてのトランプの主張

そもそも、移民を受け入れるには、犯罪者やテロリストが紛れ込まないように、きちんとチェックする体制がなければならないし、仮にまじめな働き者であっても不法な手段で入国するのは、法律に則（のっと）って移民しようとする人々に対してアンフェアである。不法移民をコントロールできないということは国境を守れないということであり、自国の国境を守れないということは国家としての最低限の要件を満たしていないことだ。また、不法移民を黙認し続けてきた結果、（不当・不法で）安価な労働力が流入し、一般の米国市民の賃金を低下させ、失業率を上昇させた。だから、米国民のために、きちんと機能する移民制度が必要なのだ……。

つまり、トランプが主張していたのは「不法移民がいけない」ということであって、「すべての移民を排斥しろ」というわけではないのです。しかし、リベラル陣営は〝不法移民の排除〟を〝（すべての）移民排斥〟と意図的にすり替え、トランプを人種差別主義者と攻撃しました。

その結果、本当に「すべての移民を排斥すべきだ」と考える排外主義的なオルト・ライト／オルタナ・ライトの支持がトランプに集中し、トランプ陣営も選挙戦術として、あえてオルト・ライト／オルタナ・ライトの誤解を放置して彼らの支持をつなぎとめていたという構図です。

実際、〝オルタナ・ライト〟の提唱者とされているリチャード・スペンサーは、トランプ当選の報に接し、「トランプ万歳、人民万歳、勝利万歳！（Hail Trump, hail our people, hail victory!）」と叫び、彼の支持者はそれにナチス式敬礼で応えるパフォーマンスを行っています。また、二〇一七年一月二〇日の大統領就任式を前に、キング牧師の誕生日である一月一五日をわざわざ選んで、彼は新たなサイトとして『**オルト・ライト・ドットコム**』（従来のサイトは『**オルタナティヴ・ライト・ドットコム**』）を立ち上げました。

これに対して、反トランプ側も彼をトランプと一体の存在とみなし、就任式当日、アンティファのメンバーが彼を殴打する事件が発生。スペンサーはその動画を公開し、自分が暴力の被害者であることを強調したため、米国内では「ナチスなら殴ってもいいのか」という議論を巻き起こしました（https://www.huffingtonpost.co.uk/entry/alt-right-leader-richard-spencer-punched-during-tv-interview_uk_588389f4e4b0f94bb303eb7f）。

一方、トランプは大統領就任演説で「今日からば、ただひたすら〝アメリカ・ファースト（米国第一）！〟だ」と高らかに宣言しました。この一言も、オルト・ライト／オルタナ・ライトにゆがんだ形で受け止められます。

もともと、〝アメリカ・ファースト〟という語は、第一次大戦以降、ヨーロッパの戦争に対して米国は中立を守るという文脈で使われ始め、民主党・共和党の党派を問わず、選挙期間中に用いられていました。

こうした米国一国主義としての アメリカ・ファーストは、一九三九年にヨーロッパで第二次世界大戦が勃発すると、米国の参戦に反対する人々が〝米国第一委員会〟を結成し、最盛期には全米で四五〇の支部と八〇万人の会員を集めたことで、広く人口に膾炙します。結局、彼らの願いむなしく、一九四一年一二月の日本軍による真珠湾攻撃を機に、米国は日独伊との戦争に踏み切るわけですが、その結果、最後までアメリカ・ファーストの立場から参戦に反対した人は、開戦後、ナチスに甘い対独宥和論者として批判にさらされました。

特に、この立場を取った著名人の一人、大西洋無着陸横断飛行を達成し、「翼よ、あれがパリの灯だ」のフレーズで有名なチャールズ・リンドバーグは、ドイツとは中立条約を結ぶべきとの考えから、一九四一年九月一一日、アイオワ州デモインで「米国を戦争に引きずり込もうとしている三大勢力は英国人とユダヤ人とルーズベルト政権である」と演説したため、戦後、親ナチスの反ユダヤ主義者との非難を浴びています。ただし、リンドバーグの名誉のために付け加えておくと、実際に戦争が始まった後、リンドバーグは戦争への協力を惜しみませんでした。ドイツの降伏後、強制収容所の実態が明らかになるとナチスの非人道性を厳しく非難しています。彼のアメリカ・ファーストは、あくまでも米国一国主義に基づく中立が主旨でしたから、リンドバーグを反ユダヤ主義者と認定するのは無理があるでしょう。

一方、就任演説でアメリカ・ファーストを宣言したトランプは、演説の中で「我々は二つの簡単なルールに従う。米国製品を買い、米国人を雇う」と明確に述べており、アメリカ・ファーストが、一国の大統領として自国の経済と雇用を最優先にするという至極当然の立場の表明であると説明しています。

ところが反トランプのリベラル派も、オルト・ライト／オルタナ・ライトたちもアメリカ・ファーストの表現について〝リンドバーグの反ユダヤ主義（ただし、それは彼らによる曲解ですが）〟に倣い、トランプは外国人やマイノリティを排除する意図で使ったと理解しました。

こうした空気が広がることを懸念した共和党の保守派は、就任式から三七日後の二月二七日、スペンサーを保守政治活動協議会（CPAC：全米の保守派が一堂に会する討論集会）から追放し、オルト・ライト／オルタナ・ライトと正統な保守主義は別のものであるとの姿勢を示しています。また、トランプ本人も大統領当選後は、自分はオルタナ・ライトとは何の関係もなく、彼らを非難するとの立場を表明しました。

しかし、トランプとオルト・ライト／オルタナ・ライトを結び付けるイメージはなかなか解消されず、オルト・ライト／オルタナ・ライト側がトランプを熱心に支持し、反トランプが両者を同一視して非難するという状況はその後も続いていくことになります。

Qアノン誕生――「嵐(あらし)の前の静けさ」

ここまでの前史があって、いよいよQアノンが登場してきます。

二〇一七年一〇月二八日、ハンドルネーム「Qクリアランスの愛国者（Q Clearance Patriot）」のユーザーが画像掲示板 4chan に現れました。

第二章で述べたように、Qクリアランスとは最高ランクの機密情報にアクセスできる権限を持った人による内部告発を示唆する名称です。最初は「愛国者」と名乗っていましたが、後に「アノニマス」→「アノン」と名乗るようになります。

実際の映像（https://www.youtube.com/watch?v=pKss2kIRwBc）

Qアノンの世界でのキーワードのひとつとして「嵐」があります。

もとは一〇月五日、居並ぶ米軍首脳とともに写真撮影に臨んだトランプのミステリアスな発言です。

"Maybe it's the calm before the storm," he said to the gaggle of reporters. "Could be. The calm before the storm. We have the world's great military people in this room, I will tell you that. And we're going to have a great evening. Thank you all for coming."

A reporter requested clarification about what Trump said: "What storm, Mr. President?"

"You'll find out. Thank you, everybody," the president said.

日本語訳

「嵐の前の静けさかもしれません」、トランプ大統領はざわめく記者たちを前に言った。「ひょっとしたら。嵐の前の静けさ。この部屋には世界の偉大な軍人がいます。あえて言いましょう。そして、素晴らしい晩になります。お越しくださって、ありがとうございます」

ある記者がトランプに言葉の意味を説明するよう頼んだ。「大統領、何の嵐ですか？」

「そのうちわかるでしょう。みなさん、ありがとうございます」と大統領は言った。

その後、Qがトランプの発言を引用し、「嵐の前の静けさ」というタイトルのスレッドを作成したことから、Qアノン独特の解釈が始まります。

トランプがどういうつもりで言ったのか、本当のところはわかりません。既存の米国政治のアウトサイダーであるトランプが、軍や官僚機構に手を突っ込んで何かやるのではないかとみな固唾を呑んで見守っている、そんな雰囲気を感じ取ってそれを表現しただけというのが、おそらく妥当な解釈でしょう。米国は政治任用の国ですから、大統領が変われば高位の幹部人事が大幅に入れ替わります。政権交代が起これば、幹部たちがこれから起こる「嵐」にそなえて身構えるのは自然とも言えます。

しかしQアノンの世界では、「嵐の前の静けさ」とは、これから嵐が来て悪いやつらがやっつけられるのだと解釈されました。彼らの世界観では、トランプはいわば悪の組織ディープ・ステイトと戦う正義の味方なのです。

Qアノンは、この「嵐（The Storm）」で秘密結社のメンバーがことごとく逮捕・投獄され、子供を食い物にしている小児性愛者(ペドファイル)は処刑されると主張します。

米国の死刑事情

しかし、米国は、どこぞの独裁国ではないのですから、簡単に「処刑」はできません。裁判で死刑になるという意味にとっても、そう簡単に死刑判決は出ません。

米国でも死刑をめぐっては議論があり、一九七二年に連邦最高裁判所が連邦と州の両方において違法と判断しました。しかし一九七六年、同裁判所は複数の州で死刑の復活を認めます。さらに一九八八年には、政府が連邦（全国）レベルでの死刑を可能にする法律が成立して現在にいたっています。

米国は、中央政府のほか各地方政府も死刑に関する法律を制定する権限を持っています。具体的に挙げると、連邦（中央）、軍隊、五〇州、ワシントンDC、五自治領の計五八の政府（およびミニ政府）です。このうちの三〇が二〇二一年一月の時点で、法律で死刑を定めています。

Qアノンの言うように、「トランプが処刑を行う」ということであれば、連邦政府による死刑の執行となります。しかし、トランプが大統領に就任した二〇一七年の時点では、二〇〇三年を最後に刑の執行が停止された状況になっていました。

ちなみに、一七〇頁でご紹介したオクラホマシティ連邦政府ビル爆破事件（一九九五年。一六八人殺害）の主犯だったティモシー・マクベイは二〇〇一年に死刑にされています。

また、小児性愛者を死刑にすることについてですが、米国では生命を奪わない〝強姦を罪状とする死刑〟については、かつて冤罪で死刑に処せられた黒人が相当数おり人種差別との批判もあったことから、一九七二年の連邦最高裁判決で「強姦（のみ）を罪状とする死刑」に違憲判決が出されています。

最高裁判決では被害者が成人の場合を対象としていたので、サウスカロライナ州、フロリダ州、ルイジアナ州、モンタナ州、オクラホマ州の五州は、〝未成年に対する殺害を伴わない性犯罪の再犯者〟に対して死刑が適用される州法を成立させました。

ところが、この州法については憲法違反との批判も強く、二〇〇八年六月二五日、連邦最高裁はルイジアナ州で起きた八歳の少女強姦事件について、「非道な犯罪であっても、被害者が死んでいない事件で死刑を適用する法律は、残酷な刑罰であり合衆国憲法に違反し無効」という憲法判断を下しました。

ちなみに、この判決が出たのは大統領選挙期間中でした。すでに民主党の候補指名を確実にしていたオバマは、〝強姦に対する死刑〟を肯定する発言を行い、違憲判決を批判しています。しかし、Qアノンやその支持者がこの点に言及したことはないようです。

つまり、トランプ政権が発足した時点で、直ちに死刑執行が再開される可能性は低く、また小児性愛（ペドフィリア）という理由での処刑は事実上不可能でした。

なお、トランプ政権下の二〇一九年七月二五日、ウィリアム・バー司法長官は死刑執行の再開を決め、殺人罪で有罪となった死刑囚五人の刑を二〇一九年一二月九日から二〇二〇年一月一五日までの間に執行することを発表しました。しかしここで執行日が確定した死刑囚は、家族三人を殺害した白人至上主義者（ダニエル・ルイス・リー）や六三歳の祖母を刺殺した男（レズモンド・ミッチェル）、一六歳の少女を強姦・殺害した男（ウェズレイ・パーキー）などで、Qアノンが主張したリベラルの小児性愛者は含まれていません。それどころか五人の中には、Qアノンと親和性の高い白人至上主義者も含まれており、トランプ政権とQアノンが（少なくとも〝死刑の問題については）まったくの無関係であることが改めて示された格好です。

それでも、米国の法制度については一切考慮することなく、近い将来「嵐」が来て、トランプ親分がディープ・ステイトの悪いやつらをやっつけるイメージが拡散されていきました。

そして二〇一七年一一月以降、ユーチューバーのトレーシー・ディアスが4chanのモデレーターのポール・ファーバーとコールマン・ロジャースの二人と協力して、Qアノン運動を拡大していきます（https://www.lamag.com/citythinkblog/qanon-gop/）。

荒唐無稽な陰謀論が加熱しすぎて過激なQアノン信奉者が掲示板から追い出されたりする中、ロジャーズとその妻クリスティーナ・ウルソは、二四時間ライブストリームのユーチューブチャネル、パトリオッツ・ソープボックス（Patriots'Soapbox）を立ち上げました（https://www.nbcnews.com/tech/tech-news/how-three-conspiracy-theorists-took-q-sparked-qanon-n900531）。

Qの正体は謎ですが、運動を強力に推し進める中心的人物は、ある程度、明らかになっています。それでQアノン信奉者の中には、彼らが寄付を募ることで運動から利益を得ているとして非難する人もいるようです。

ちなみにインフォウォーズのアレックス・ジョーンズも、Qと個人的に接触していることを明らかにしています（https://www.dailydot.com/debug/qanon-anniversary-movement/）。

可視化するQアノン信者

こうして、二〇一七年中にはQアノンとその発言は急速に拡大し、大手メディアからも注目され始めます。翌年二〇一八年には、いわゆる保守系から右翼系の人々の中にQアノンの主張のすべてではないにしても、一部の主張について「そういうこともあるかもしれない」と支持し始める人が現れます。

投稿が増えると、面白くないものは淘汰されていき、よりそれらしいものがさらにブラッシュアップされて残っていく。Qアノン信者の世界では「トランプは救世主だ」「ディープ・ステイトと戦う正義のヒーローだ」「アウトサイダーのトランプが当選したことで、ディープ・ステイトの悪巧みが明らかになったのだ」だから「トランプを支持しよう」となる。そして、Qアノン支持者＝トランプ支持者になっていくのです。

Qアノン信者が可視化されたのは二〇一八年の七月のことでした。フロリダ州タンパで行われた中間選挙に向けたトランプ派の集会に異様な集団が現れたのです。「Q」の文字がついたTシャツや帽子を身に着けているので、目立ちます。

「何なんだこの人たちは？」

ネットからリアルな世界に出てきた集団に一気に社会的注目度が高まりました。

実際の予言の検証

カルト宗教には予言がつきもので、Qも例外ではありません。さまざまな予言をし、勝手な断言をしたりしていますが、初期の予言はかなり好き勝手なことを言っています。

初期の予言（https://www.dailydot.com/debug/qanon-failed-predictions/ より）

二〇一八年

・二月一日に国防総省を巻き込んだ大事件が起きると予言。（何もなかった）

・二月一〇～一一日、大統領に狙（ねら）われた人々にとって「自殺の週末」になる。（目ぼしい人物で、その日に自殺した者はいない）

・二月一六日頃にロンドンで自動車爆弾テロが発生する。（同月ロンドンでテロは発生しなかった）

・トランプによる軍事パレードは「決して忘れられないものとなるだろう」。（パレードは費用がかかるため翌年に延期となった。おそらく行われないだろう）

・ファイブ・アイズ（英国、米国、オーストラリア、カナダ、ニュージーランド）は長くは続かない。（まだある）

・四月一〇日に重慶で何か大きなことが起こる。（特に何も起きなかった）

・オバマが「ウエンディ」という名の若い少女と写っている写真が出てきて、小児性愛（ペドフィリア）の容疑がかかる。（そんな写真は出てこなかった）

・ジョン・マケインは上院議員を「すぐに」辞任する。（と言ったが、がんの治療を求めないことにしたと言っただけ）

・マーク・ザッカーバーグはフェイスブックの社長を退き国外逃亡する。ザッカーバーグは何度も辞めないと言うだろう。（いまだに辞めていない）

予言は、ことごとく外れました。

しかし、外れたら外れたで、「ディープ・ステイトの監視がきついので、わざと虚偽情報も流している」などと、インチキ教祖によくありがちな煙（けむ）の巻き方をします。

予言が外れるだけではなく、事実無根かつ裏付けのない主張も数多く投稿しています。

・北朝鮮と金一族はＣＩＡの傀儡（かいらい）である。

(https://www.vice.com/en/article/ywex8v/what-is-qanon-conspiracy-theory)

・ドイツのアンゲラ・メルケル首相はアドルフ・ヒトラーの孫娘である。

(https://444.hu/2018/08/07/trump-tamogatoi-kozott-elkezdett-terjedni-hogy-az-elnok-az-egyesult-allamokat-iranyito-satanista-pedofilok-ellen-harcol)

・銃乱射事件はすべて秘密結社によって行われている偽旗作戦（にせはたさくせん）（自作自演、なりすまし）だ。

(https://www.thedailybeast.com/what-is-qanon-the-craziest-theory-of-the-trump-era-explained)

・ヒラリー・クリントン、バラク・オバマ、ジョージ・ソロスが逮捕または拘束されるかもしれない。

・クリントンの補佐官フマ・アベディンが、オバマ大統領時代にスンニ派イスラム組織ムスリム同胞団に暗黙の便宜を図っていた。

・下院議員で民主党全国委員会委員長のデビー・ワッサーマン・シュルツは、エルサルバドルのギャング団「マラ・サルバトルチャ」を雇って同委職員のセス・リッチを殺害した。

（前記三つ　https://www.newsweek.com/how-storm-biggest-fake-news-story-796725）

・バラク・オバマ、ヒラリー・クリントン、ジョージ・ソロスらは国際的な児童売春組織に関与しており、トランプに対するクーデターを計画している。

・ロバート・モラー捜査官によるロシア疑惑の捜査はロシアとの共謀が疑われているが、実はクーデターに対するトランプ側からの反撃。民主党を油断させて極秘裏に調査するために、共謀を装ってモラーを任命した。

実際にはクーデター計画など明らかになっていません。ほかの主張も、どれも完全にデマです。北朝鮮がＣＩＡの傀儡かどうかは確認のしようがありませんが、そう主張するのであれば、主張する側がしかるべき証拠を示すべきでしょう。

漂白剤が治療薬⁉

これまでのＱアノンの発言は、基本的には政治（家）や著名人に関するものですから、それが荒唐無稽なデマであったとしても、一般国民の生活を直接脅かすようなものではありません。ところが彼らの発信の中には、信じてしまうと命に関わるものもあるので注意が必要です。

たとえば、Qアノンの支持者には新型コロナウイルスの「治療法」として、ミラクルミネラルソリューション（Miracle Mineral Solution）という液体を勧める人がいます。この液体を飲めばウイルスを撃退できるなどと主張していますが、もちろん医学的根拠はなく人体に有害です。我が国でも、すでに二〇一〇年の時点で、米国食品医薬品局（FDA：Food and Drug Administration）による「注意喚起」の概要が国立研究開発法人 医療基盤・健康・栄養研究所のサイト「『健康食品』の安全性・有効性情報」でも紹介されていますので、次頁に、転載します（https://hfnet.nibiohn.go.jp/contents/detail1493.html）。

すでに人体に有害であると認定された液体が、コロナ禍の中で再び流通することを懸念したFDAは、あらためて、この液体を飲めば重度の嘔吐（おうと）や〝急性肝不全〟を引き起こすと警告しました。しかし、残念ながら、Qアノンのデマを信じて亡くなった方もいるようです（https://www.businessinsider.com/china-coronavirus-wuhan-cure-qanon-mms-bleach-conspiracy-2020-1）。

Qアノンとインフォウォーズ創業者のアレックス・ジョーンズらその周辺は、大手製薬会社や予防接種に対しては「人口を削減しようとする企（たくら）みだ」と根拠もなく主張しており、ワクチンに

■タイトル
米国FDAが亜塩素酸ナトリウムを含む製品に注意喚起（100803）

■注意喚起および勧告内容
2010年7月30日、米国FDAは亜塩素酸ナトリウムを含む「ミラクルミネラルソリューション」または「ミラクルミネラルサプリメント」と呼ばれている経口液体製品に注意喚起。FDAは当該製品を使用しないように、また、使用して体調に不安を感じている場合は医療機関を受診するように勧告。

■解説
当該製品は複数のインターネットサイトでいろいろな名前で販売されている。28％亜塩素酸ナトリウムを柑橘系ジュースなどの酸性溶液と混ぜて飲むよう表示しているが、表示通りに使用すると、工業用グレードの漂白剤（二酸化塩素）が生じ、吐き気、嘔吐、下痢、脱水などの健康被害を生じる可能性がある。これまでにFDAに、当該製品摂取との因果関係が疑われる健康被害（脱水、吐き気、嘔吐、致命的な低血圧）が数例報告されている。

FDAは当該製品を使用している人はすぐに中止し、医療関係者に相談するように勧告。カナダ保健省からも同製品への警告が出されている。

■関連成分
亜塩素酸ナトリウム（sodium chlorite）
$NaClO_2$。無色の結晶で、水によく溶ける。溶解度46g/100g水（30℃）。38℃以下では三水和物、それ以上では無水塩。繊維の漂白やパルプ、和紙、油脂、ショ糖の脱色、水道水の殺菌などに用いられる。
亜塩素酸ナトリウムを摂取すると、腹痛や吐き気、嘔吐、下痢、さらに中毒や腎障害、赤血球の酸素運搬能の低下など、重篤な有害事象も発生する可能性がある。

■関連情報
米国FDAウェブページ（2010年7月30日、英語）→「FDA Warns Consumers of Serious Harm from Drinking Miracle Mineral Solution (MMS)」（以下略）

関しても否定的な発信を繰り返しています。

たしかに、新型コロナのワクチンを接種するか否かは個人が自らの意思で選択すべきことですが、誤った情報でワクチンを接種しないことを選択する人が増え、結果的に感染を拡大させるのは非常に罪深い話です。いずれにせよ「〝漂白剤（と同じ成分の液体）〟を飲め」とは、ずいぶん乱暴な展開で、そちらのほうがよほど人口の削減につながるのではないでしょうか。

コロナ禍で急成長のQアノン

ロンドンに拠点を置くシンクタンクＩＳＤ（Institute for Strategic Dialogue）が、主要なソーシャルメディアプラットフォーム上のＱアノン関連の投稿を分析したところ、二〇二〇年三月から六月にかけて急激な成長が見られました。フェイスブックでは一七五％近く、インスタグラムでは七七・一％、ツイッターでは六三・七％と爆発的に増加しています。直接的な因果関係は証明できませんが、時期的に考えて、コロナウイルス禍で自宅で過ごす人々が増え、当初は暇つぶし程度の軽い気分でアクセスしたＱアノンに嵌ってしまったであろうことは容易に想像がつきます（https://www.france24.com/en/20201006-qanon-conspiracies-go-global-in-pandemic-perfect-storm）。

また、六月末に「デジタル兵士：誓いを立て、国に奉仕せよ（Digital Soldiers: Take the Oath and Serve Your Country）」と投稿されると、それを受けて、Ｑアノン支持者や共和党議員が誓いを立てる動画を投稿しはじめました。その中には、初期トランプ政権の国家安全保障顧問を務めたマイケル・T・フリンも含まれています（https://www.nytimes.com/2020/07/14/us/politics/qanon-politicians-candidates.html）。

二〇一八年の中間選挙では、Qマークのついた服や帽子の変な出で立ちの人たちがたくさん湧いて出ただけでしたが、二〇二〇年の大統領および上下院議員選挙においてはQアノンが具体的な政治集団としての形をとってきました。

彼らは陰謀論に基づいて投票行動をとるので、大統領選挙への悪影響が懸念されるとして、七月にツイッター社は数千個のQアノン関連アカウントを停止し、さらに陰謀論の拡散を抑制するためにアルゴリズムに変更を加えました。

また、二〇二〇年八月に報告されたフェイスブックの内部分析によると、数千のグループやページにまたがる数百万人のQアノン信奉者がいたことが判明しました。フェイスブックは、同月後半にQアノンの活動を削除・制限する措置を講じ、九月には陰謀論をプラットフォームから完全に禁止する意向を明らかにしました（https://mashable.com/article/facebook-groups-new-policies-misinformation-hate/）。

ツイッターやフェイスブックが規制に乗り出したことをもって、日本では保守層を中心に、

「独占的な立場にあるプラットフォーム企業が、正式な法手続きによらず、特定の内容の発信を制限するのは言論統制、「言論弾圧である」との批判が根強くあります。一般論としては、それは確かにその通りです。

ただしQアノンのような、明らかにトンデモな陰謀論に左右される人々が大量に湧いてきて、無視できない集団を形成しており、放置しておけばソーシャルメディア側も社会的な責任を追及されかねない事態になったため、彼らも何らかの対応を取らざるをえなかったという面があることは理解しておいてもよいと思います。

もちろん、アカウント停止や削除の良し悪しについての議論は十分にすべきでしょう。しかし、突拍子もない陰謀論を撒(ま)き散らし、ピザゲートのコメット・ピンポンのような特定の店・個人を攻撃し、暴力を煽動(せんどう)するような投稿はたしかに危険です。グループやページの削除や特定のハッシュタグのブロックなども、あながち行き過ぎとは言いきれない面もあるのです。

第六章

目覚めよ、さらば救われん

――Qアノンのカルト宗教化とその背景

悪役へのレッテルはいつも小児性愛

米国のオルト・ライト／オルタナ・ライトがアンチ民主党で、「民主党員は小児性愛」と叩いていることは、今まで見た通りです。

「小児性愛」は、欧米では悪者の属性として、ほとんど必ず出てくるキーワードです。では、いわゆる変態性欲とされるものの中で、なぜ小児性愛のみがこれほどまでに目の敵にされ、他人を攻撃する際のキーワードになるのか、違和感を覚える人も多いのではないでしょうか。

ユダヤ教とキリスト教の戒律の原点ともいうべき『モーセの十戒』には「汝姦淫するなかれ」の一節があります。では、姦淫の定義や範囲は何か。それが問題です。

この点について、近代以前のカトリックは、性交渉は基本的に結婚した男女が子作りをするために限って行うものという立場を取っており、プロテスタントでも、たとえばジャン・カルヴァンは『キリスト教綱要』第二篇八章の十戒「あなたは姦淫してはならない」の註解で、「結婚による以外には男性と女性がいっしょになることは、神の呪いなしにはすまされない」ので、結婚が「不貞潔と対抗する唯一の救済手段である」と説明しています。

この考え方があるため、カトリックであれ、プロテスタントであれ、宗教的な価値観が強い影響力を持っていた時代ないし地域では、いわゆる婚前交渉だけでなく同性愛や小児性愛などは子作り以外の性交渉として忌避されるわけです。そして、そうした社会的タブーを信徒たちの脳裏に深く刻み付けるうえで大きな役割を果たしたのが、聖書にも出てくるソドムとゴモラのイメージでしょう。ソドムとゴモラは堕落した都市の代名詞として、言葉自体は日本でも有名です。

旧約聖書「創世記」（第一九章）では御使い（天使）がソドムを訪れます。ロト（アブラハムの甥）が宿を提供しますが、町の男たちが家をとりかこみ「今夜、お前のところへ来た連中はどこにいる。ここへ連れて来い。なぶりものにしてやるから」と襲われそうになります。御使いはロトに家族を連れて逃げるように言い、町を滅ぼします。その際、御使いから「決して振り返ってはならない」と言われたのに、ロトの妻は逃げる途中で振り返ってしまったため、塩の柱に変えられてしまいました。

ソドムの物語をごく簡単に要約するとこんな感じになりますが、その一方で、ソドムが具体的にどのような町であったのか、旧約聖書には詳細な記述はありません。

全知全能の神が、人々が自らの御使いとは気づかずに〝よそ者〟を脅かしたというだけで町を滅ぼすというのは、我々の感覚からするとやりすぎのような気がしますが、いずれにせよ、ソドムの町での具体的な堕落の描写はありません。もっとも、「なぶりものにしてやる」を男色の集団レイプと解釈する向きもあるようですが（上坂昇『神の国アメリカの論理』明石書店、二〇〇八年、三一九頁）。

また、新約聖書「ユダの手紙」では「ソドムやゴモラ、またその周辺の町は、……みだらな行いにふけり、不自然な肉の欲の満足を追い求めたので、永遠の火の刑罰を受け、見せしめにされています」とあり、この「不自然な肉の欲」がキリスト教世界では同性愛と解釈されました。

「不自然な肉の欲」＝同性愛というイメージが定着したのは、時代が下って、教父アウグスティヌス（三五四～四三〇）が、その主著『神の国』ではっきりと同性愛を非難したことや中世のスコラ哲学者トマス・アクィナス（一二二五頃～七四）がマスターベーション、獣姦、同性間の性交、非生産的な異性間の性交を自然に反する悪徳と規定したことの影響が大きいと考えられています。

また、ソドムとゴモラが歴史的に実在していたとして、そこで男色が流行っていたかどうかは議論の分かれるところです。ただ、「レビ記」第二〇章「死刑に関する規定」の一三節に「女と寝るように男と寝る者は、両者共にいとうべきことをしたのであり、必ず死刑に処せられる。彼らの行為は死罪に当たる」とあり、聖書は明確に同性愛を禁止しています。

とはいえ、今日では同性愛は社会的にも法的にも認められつつありますので、これをもって背徳の代名詞とすることはできなくなりました。そこで出てきたのが小児性愛です。

「性的に未成熟な（＝生殖能力が備わっていない）子供を相手に性的な関係を強要するなんて許せない！」

これには、だれも異論がない。完全な悪です。

ただ、米国人の言う「小児性愛」は、日本人がイメージするよりもはるかに範囲が広いと思ってください。

たとえば、フェミニストのうち特に尖った人たちに言わせれば、ＡＫＢのような日本のアイドルやアニメの少女キャラがミニスカートを穿いてキャピキャピしているのを見て喜ぶ男は児童ポルノの愛好者です。彼（女）ら極端なフェミニストの見解では、「日本では児童ポルノや小児性愛が蔓延している」となる。そして、日本のアニメも「いかがわしい」。

アニメの中には、日本人が見てもポルノまがいのもの（あるいは、明確にポルノ）もありますが、我々が見れば性的な描写とは思わないような子供向けの「魔法少女もの」「変身少女もの」であっても、戦闘的な米国人フェミニストは容赦なくポルノに認定してしまうのです。

そういった外国の極端な意見の持ち主に影響を受けて、日本のフェミニスト団体もまたサブカルチャーを叩いたりしています。その主張の大半は、日本社会の多数派からは〝非常識〟として一蹴されるレベルのものですが、それでも大手メディア等ではトラブルを恐れて、彼らの主張にもある程度譲歩したかたちで決着が図られることも少なくありません。

たとえば、変身少女ものの古典中の古典として知られる『キューティーハニー』（永井豪原作）のアニメ版は、一九七三～七四年にＮＥＴ（現テレビ朝日）系で放映され、主人公の如月ハニーは、犯罪組織パンサークローの刺客と戦うために変身する際には、必ず服が飛び散っています。これは、次の二つの設定があるためです。

①ハニーは、骨格や大脳は機械、外見は生体細胞からなる人造人間であり、心臓部分には〝空中元素固定装置〟が内蔵されている。
②空中元素固定装置による変身は、ハニーの周囲の物質や空気を一度元素レベルまで分解し、再構成することで行われる。

ところがフェミニストたちは、物語のクライマックスで、少女（物語の設定では、ハニーはミッション系の全寮制高校〝聖チャペル学園〟に通う女子高生となっていますから、ティーンエイジャーです）の服が必ず飛び散るという設定が気に入らない。これが、少女に対するレイプを連想させるので、ポルノだというのです。

キューティーハニーの変身場面を見て劣情を催す男が絶対にいないとは言い切れませんが、視聴者全体の数から比べれば、統計上はほぼ無視してよいレベルでしかないでしょう。

フェミニスト団体からのクレームが来ることを想定して、一九九二年（前述の通り、クラレンス・トーマスの最高裁判事指名をめぐって、〝セクハラ〟という概念が一挙に世界的に注目を集めるようになったのは、前年の一九九一年のこと）にテレビ朝日系で放映が開始されたアニメ『美少女戦士セーラームーン』では、主人公の月野うさぎら少女たちの変身シーンの表現方法が、彼女たちがシルエットになり、そこに戦闘用の服装が加えられていくパターンになっています。

それでも過激派のフェミニストたちは、一〇代の女性が短いスカートで太ももを露（あらわ）に戦うのは〝性的搾取（さくしゅ）〟などと言いがかりをつけてくるわけです。

本書の第四章ではエプスタイン事件について触れました。そこで男性の相手をさせられていた女の子は「未成年の一〇代」です。小さな子供というより一五～一六歳のティーンエイジャーで、女子中学生、女子高校生。アニメの如月ハニーや月野うさぎも同年代の設定です。個人差があるとはいえ、大多数の女性は既に初潮を迎え、生殖能力が備わっている年齢ですから、〝性的に未成熟な〟と一律に断じるのは無理があります。ただし、結婚という形式をとって社会生活を全うできる能力があるかどうかという点では、たしかに疑問ではありますが……。

もちろん、現在の日本では各都道府県、一部の市町村が青少年保護育成条例を施行しており、一八歳未満の者との性交渉は、相手との合意があっても処罰の対象となります。社会道徳上も許容されているとはいいがたい。もちろん、相手の合意なしの強姦であれば、年齢を問わず犯罪です。

ただ、日本と米国との根本的な認識の違いは、エプスタインはただの犯罪者ではなく、きわめて異常な犯罪者だということです。

日本でも、かつて援助交際が社会問題となりました。最近ではあまり騒がれていないので、どうなっているのか知りませんがゼロではないでしょう。たとえ同意の上ではあっても、相手の無知や貧困につけこんだ無責任な行為と非難されてしかるべきで、援交がよいとは言いません。しかし日本では、未成年の少女と関係を持つ大人の男たちが、特別に異常な性癖の持ち主だとは思われていません。悪い大人ではあっても、異常者とはみなされないのです。

少なくとも二〇二二年に予定されている民法の改正で、女性の結婚可能な年齢が一八歳（満年齢。以下同）以上に引き上げられるまでは、法律上は女性は一六歳での結婚が可能ですから（経過措置として、二〇二二年四月一日の時点で既に一六歳以上の女性は、引き続き、一八歳未満でも結婚が可能）、一六歳の女性と正式に結婚して〝夫婦生活〟を楽しむことは社会的にも許容されているわけです。

それに、昔の日活ロマンポルノから始まって、いわゆる「制服もの」「セーラー服もの」のアダルト動画はネットなどで普通に閲覧が可能で、それなりの人気を博しています。「見た」とあまり大きな声で言えないのは、どのポルノでも同じことであって、制服ものファンが熟女もののファンに対して負い目を感じることはないでしょう。もちろん実際に演じている人は一八歳以上ですが（出演者が一八歳未満であることが発覚すると、関係者は厳しい処分を受けるので、よほど悪質な業者でない限り、制作会社は出演する女性の年齢確認をかなり厳格に行っています）、その辺の感覚が日米（欧）でたぶん根本的に違います。

急進的なフェミニストにとって日本は最悪の国かもしれません。

本題から話がそれましたが、以上のような文化的背景から米国人、特に保守的な米国人にとって「小児性愛」は悪者を罵（ののし）る決まり文句となっているのです。

ただ、以前は、共和党に金持ちの党としてのイメージが強かったので、「共和党はロスチャイルドと結んで悪巧みをしている小児性愛者（ペドファイル）だ」という方向性の陰謀論が強かったのですが、最近は民主党が悪役になっています。小児性愛と政治思想の左右はまったく無関係だと思うのですが、いずれにしても「小児性愛」は相手を罵るときの常套句（じょうとうく）になっているわけです。

「目覚めよ」――Qアノンのカルト宗教的側面

「小児性愛」への容赦のない非難に加え、キリスト教文化圏としての米国で広がるカルトには、キリスト教的な色彩、特に終末論を下敷きにする傾向があります。

Qアノンは「嵐の前の静けさ」で意味深な掲示板デビューを果たしましたが、この一言はたちまちのうちに理解されました。具体的なことを何も言わなくても、その一言で一定のイメージが湧くからです。

彼らの脳裏には「ノアの洪水」や「最後の審判」など聖書の物語があるのです。大雨や大地震など天変地異が起こって悪は罰せられ、善が報われる。聖書に親しんだ人なら「創世記」や「ヨハネの黙示録」の有名な話は、私たちにとっての「桃太郎」や「かぐや姫」、「天照大神（あまてらすおおみかみ）と天岩戸（あまのいわと）」や「素戔嗚命（すさのおのみこと）と八俣（やまた）の大蛇（おろち）」ぐらい血肉に入り込んでいて、「嵐」が起こって悪者に天罰が下るイメージは、キリスト教徒にとって自然に納得できる勧善懲悪物語の一パターンなのです。

ですから、Qアノンのような世界観の持ち主が、〝正義の味方〟と彼らが考えているトランプの口から「嵐」という単語が出てくると、「嵐が来て悪者が退治され、あなたがた善人は救われる」とのメッセージだと解釈されてしまうのです。結局のところ「世の中の本来あるべき姿がまもなくやって来る」と、多くの人が望むことを言ったも同然なのです。

Qアノンは、そうしたキャッチーなフレーズとともに、それに加えて人々が何となく「この人（クリントンなど）はこんな悪いことをしているのではないか」と怪しんでいることをプラスして発信したので、ますます受け入れられました。

ところで、聖書はキリスト教文化圏共通の素養ですが、Qアノンにはそれに加えて米国の歴史と文化に関わる特有の要素もあります。

Qアノンのもうひとつの重要なキーワードは「大いなる覚醒（かくせい）（Great Awaking）」です。悪者によって隠されていた世界の秘密が明らかになる。だから「目覚めよ」というわけです。
日本では「目覚めよ」などと言われても、「また変な新興宗教の勧誘？」と誰もまじめに取り合わないでしょう。しかし、アメリカのキリスト教徒にとって「大いなる覚醒」は大きな意味のある言葉なのです。

米国は、信仰の自由を求めて米大陸に渡ってきたヨーロッパ人が、それぞれの宗派ごとにステイト（州）を設立し、各州が連合してできあがった国です。United States of America（アメリカ合衆国）のUnited Statesは文字通りには連合州ないし連合国です。

移住当初のご先祖様たちは宗教的熱情を持っていたかもしれませんが、時代が下るうちに厳格さが緩（ゆる）み、徐々に形骸化（けいがいか）していきます。宗教的熱情だけでは豊かな生活は送れません。しかし、先祖の誇りが脈々と受け継がれていて、道徳規範が緩くなってきたり、国が危機に瀕（ひん）したタイミングで、「これではいけない！」と浄化運動が起こるのです。

米国では一定の期間を挟んで宗教再生（復興）運動が起こっていて、これを「大いなる覚醒」と言います。

ジェームズ一世のピューリタン（清教徒）弾圧を逃れた一団が、メイフラワー号で北米に到着するのが一六二〇年。以来、約四〇〇年の間に四回ほど「大いなる覚醒」の盛り上がる時期がありました。

第一回　一七三〇～四〇年
第二回　一八〇〇～三〇年
第三回　一八五〇～一九〇〇年
第四回　一九六〇～七〇年

なお年代の期間については諸説あり、おおよその期間と捉えてください。

第一回目（一七三〇～四〇年）は、ピルグリム・ファーザーズ（Pilgrim Fathers）の上陸からは一〇〇年以上たっていましたが、まだ米国独立前です。住民が移民一世たちほど敬虔（けいけん）でなくなった時代に、「目を覚ませ！」の声が上がりました。

その数十年後、一八世紀の後半、米国は独立戦争に突入します。

一七七五年　独立戦争の勃発（ぼっぱつ）
一七七六年　独立宣言
一七八七年　合衆国憲法制定

建国の混乱を経て、愛国心や独立心に燃えている時期に、それと連動した第二回目の大覚醒（一八〇〇～三〇年）が起こります。

この間の歴史的事件は次の通り。

一八一二～一四年　米英戦争

一八二三年　モンロー宣言

「モンロー宣言」と言えば、「米国はヨーロッパに干渉しないから、米国のことにヨーロッパは干渉するな」ですから、アメリカ・ファーストのルーツといってもよいでしょう。

そして、第三回目（一八五〇～一九〇〇年）は長い。一八六一～六五年の南北戦争を挟み、一九世紀後半まるごと大覚醒期です。

南北戦争は合衆国が分裂し、六二万人もの戦死者を出す大きな内戦となりました。戦後の融和には時間がかかります。今も、南部市民の反北部感情は残っていて、完全に融和できたとは言えません。

社会が混乱すると宗教に拠り所を求めるのも世の常です。特に北部に痛めつけられた南部の人々が、信仰に心の安らぎを求めたことは想像に難くありません。そこで再び「目覚めよ！」。

現代米国のプロテスタント教会で最も信者数が多いのはバプテスト教会、二番目がメソジスト教会です。南北戦争時代には教会も南北に分裂して戦っています。メソジストは一九三九年に再合同しますが、南部バプテスト連盟は今も健在で、米国のプロテスタント系教会の中で最大です。聖書を文字通りに解釈しようと考えるキリスト教右派、キリスト教原理主義者の多い宗派でもあります。

クリスチャン・サイエンス(注)やエホバの証人(注)が創設されるのも、この時期です。

第四回（一九六〇〜七〇年）は世界的には学生運動の時代、米国史的には公民権運動が盛んな時代です。従来の価値観を否定するヒッピー文化が生まれました。反社会・反政府の傾向を持ち、ベトナム反戦運動にもつながっていきます。日本やドイツでは赤軍派のテロが社会を騒がせました。

当時の欧米の若者は自然回帰を叫び、東洋趣味の傾向を帯びている者も多数いました。彼らは宗教・哲学・オカルトを融合したようなニューエイジブームを生み出します。

ヒッピーや反戦運動はリベラル系の動きですが、こういったリベラル思想へのカウンターとして、伝統的な価値をもう一度見直そうと「目覚めよ！」と叫ぶ人たちが出てきたのです。

四回の大覚醒について、開始時期から次の開始時期まで、それぞれ約七〇年、五〇年、一一〇年です。平均を取ると約七五年周期で宗教的な高揚期「大覚醒」がやってきています。二〇二〇年は、第四回の開始時期（一九六〇年）から、まだ六〇年ですから、平均より早いですが、最速でやってきた第三回の五〇年後よりは遅れています。今が大覚醒期だとしても、このサイクルから大きく外れてはいません。

そのため、米国人の中には「覚醒せよ」でスイッチが入る人が少なくないのです。特にリベラルが嫌いで宗教的な情熱を持つ人たちに“Awaking”と言うと、嵌ってしまう。五回目の大覚醒の時代が来たのだと理解し、心の奥深くにあるリセットボタンに突き刺さるのです。リセットというよりリスタートかもしれませんが、前記のような歴史的イメージが連想できる。米国人にとって「目覚めよ」は狂信者のたわごとではないのです。

（注）クリスチャン・サイエンス（キリスト教科学）：メリー・ベーカー・エディが一八七九年に創設。霊の健康によって肉体の病も治せると主張。日本の公式サイトによると「神は無限の愛である……自分と神との関係を理解すると、健康が回復し、性格が変えられる」。

（注）エホバの証人：チャールズ・テイズ・ラッセルが一八八四年に創設。今の世界は悪魔の支配下にあり、やがて悪魔と神の軍団の最終戦争ハルマゲドンによりサタンの支配が終わるという終末論思想。輸血を拒否することでも有名。

終末における善と悪の戦い、偽預言者の出現

カルトに限らず、エヴァンジェリカル（福音派）も「世界の終末には善と悪の戦いが起こる。今は、まさにその善と悪が戦っている時代だ」と考えています。

エヴァンジェリカルについて、詳しくは前著『みんな大好き陰謀論』を参照していただきたいのですが、トランプの岩盤支持層のひとつです。あの人たちは米国民である前にクリスチャンであるから、イスラエルと米国の利害が対立したときはイスラエルを支持するという人たちです。

なぜイスラエルを支持するか。

最後に約束の地で神と邪悪な勢力が戦い、そこで神が勝利を収め、世界は救済される。聖書にそう書かれていて、現在のイスラエルとイスラム原理主義のハマスらとの戦いが、まさにそれであると考えているからです。彼らにとっては、「トランプとディープ・ステイトの戦い」もまた「善と悪の戦い」に見えるのです。

トランプが小児性愛者の巣窟（そうくつ）である民主党をやっつける図は「善と悪の戦い」に重なりますし、国民を騙（だま）すクリントンやオバマという構図も「偽預言者」のイメージです。

つまり、Qアノンの主張は何ら新しいものではなく、キリスト教信仰の中にあるイメージを使いながら巧みに言葉を変えて信者を誘導しているのです。それにピルグリム・ファーザーズのよ

うに特に尖(とが)った人々が作った国、米国の特殊事情も加味されて、Qアノン現象が起こっていると考えられます。

聖書にはまた「世界の終末に偽預言者が現れて、人々を惑わす」とも書いてあり、今の言論状況がまさにそうです。日本でも昨今「偽預言者」が蔓延(まんえん)していますので、キリスト教徒でなくても現象的には納得です。ただし狂信者にとっては「その通りだよね」では済まないものがあります。トランプは敗北を認めました。今後、暴走した狂信者はトランプに偽預言者というレッテルを貼(は)りかねません。

宗教や伝統を用いたプロパガンダは世俗国家でも有効

神話や宗教的な背景を用いたプロパガンダは、政治の場では効果的です。

たとえば、キューバのフィデル・カストロは、社会主義体制の独裁者として絶対的な権力を持ちながら、自分の銅像などを建てることは原則として許さず、自らを神格化するのではなく、革命の同志だったチェ・ゲバラを殉教者(じゅんきょうしゃ)にして神格化することで、革命の〝正しさ〟を主張し続けました。

アルベルト・コルダの写真「英雄的ゲリラ」を元にしたゲバラの肖像切手。1968 年。

2017年のゲバラ没後50年にアイルランドが発行したゲバラの肖像切手。ゲバラの父方の祖母はアイルランド系なので、ゲバラはアイルランド系クウォーターとなる。アイルランド政府は、このゲバラをはじめ、ジョン・F・ケネディなど、アイリッシュ・ディアスポラの著名人を顕彰する切手を発行しており、この切手もその1枚である。また、作者のフィッツパトリックがアイルランド系であり、彼の「英雄的ゲリラ」が20世紀のポップアートを代表する作品のひとつであることも、切手発行の理由となった。

「ゲバラ」といえば、誰もが思い浮かべる有名な写真および絵があります。

前頁の切手に取り上げられている写真は、一九六〇年、アルベルト・コルダが撮影したもので「英雄的ゲリラ」のタイトルで、ゲバラの最も有名な肖像写真として知られています。この写真にインスピレーションを受けたアイルランドのアーチスト、ジム・フィッツパトリックは、写真を元に一九六八年にポスター絵（上図）を制作しました。

他にもいろいろなバージョンがあるのですが、この二つが特に有名です。ゲバラおよび「英雄的ゲリラ」について、ご興味のある方は拙著『チェ・ゲバラとキューバ革命』（えにし書房、二〇一九年）をお読みいただけたら幸いです。

フィッツパトリックのゲバラは、コルダの写真をそのまま模写するのではなく、顔に影を加えるなどして、印刷映えするように加工されています。その際、オリジナルの写真に比べて、視線の先がやや上向きに修正された結果、天を見上げるキリスト像の顔を思わせるような仕上がりになりました。

一九五九年の革命以前のキューバでは、国民の七割以上がカトリックでした。しかし、カストロやゲバラなど革命の指導部はことごとく無神論者だったことに加え、キューバのカトリック教会がバティスタ政権と反革命派を支持していたこともあって、革命政権は司祭や尼僧ら約三〇〇人を国外追放した上、教会が所有していた学校をすべて国有化するなどの弾圧政策を推進。これに対して、一九六二年、教皇ヨハネ二三世はカストロを破門するなどの対抗措置を講じ、両者の関係は長らく断絶していました。

この結果、キューバ国内では建前としては〝信仰の自由〟が保障されているものの、現在では〝無宗教〟の人口が五五パーセントに達して、カトリックの人口は激減しました。教会は政府から〝反革命活動〟をしていないとの認証を受ける必要があるなど、その活動は大きく制約されています。

ただ、ゲバラが亡くなった一九六七年は、一九五九年の革命から一〇年も経っていない時期でした。キューバ国民の多くは、カトリックが深く浸透していた社会で生まれ、育ってきました。したがって、革命後に信仰を放棄したり、あるいは信仰を公にしたりしなかったとしても、文化的な背景として聖書の物語やキリスト教に題材をとった芸術作品のイメージなどは、彼らの間で〝常識〟として共有されていました。

そうした社会環境の中では、一見、カトリックとは敵対関係にあるゲバラについても、キリストの殉教の物語と重ね合わせた演出を行うことによって、多くの人々の感情に訴え、共感を得られたのです（上図）。

コルダの「英雄的ゲリラ」については、キューバ政府は事実上のフリー素

ムリリョ「キリストの復活」
'The Resurrection of Christ' Bartolome Esteban Murillo（1618~82）

材として、原則として世界各国の人々に自由に使わせました。その結果、一九六八年に全世界で猛威を振るった学生運動では、各国の共産党に与さない新左翼の抵抗のシンボルとして、彼の肖像が至る所で使われました。そして、「英雄的ゲリラ」のイメージは学生運動が下火になった後も拡散し続け、教会のモザイクのような姿に加工されることさえありました（次頁右上図）。

ゲバラは、一九六七年、ボリビア山中で反政府ゲリラ活動中に捕らえられて処刑されますが、その波乱万丈の生涯の物語とともに〝革命の殉教者〟として、ある種の信仰の対象にさえなっていきます（次頁左上図）。

カストロは、いわばユダとパウロの一人二役を演じました。

ゲバラが処刑されたボリビア山中のイゲーラ村のゲバラ像。ゲバラ本人は無神論者だったはずだが、いつの間にか、背後には十字架が立てられ、お供え物を置くスペースも設けられるなど、ゲバラ像が民間信仰の対象になっていることがわかる。

英語版ウィキペディアより

ユダはキリストの忠実な弟子でしたが、最後にキリストを裏切り、磔刑（たっけい）への道を開きました。

一方、カストロはゲバラとともにキューバ革命を成し遂げましたが、最終的に革命の理想よりもソ連との関係を重視し、その結果、ソ連も所詮（しょせん）は帝国主義にすぎないと公言していたゲバラはキューバを去らざるをえなくなりました。

これが、スターリンや毛沢東であれば、自分の政敵となった革命の元勲を容赦なく粛清したのでしょうが、カストロの場合は、むしろ逆。アフリカのコンゴや南米のボリビアでの革命に参加していたゲバラに対してカストロは、事実上帰国を許さなかったものの、十字架を担いでゴルゴタの丘へと登っていくキリストよろしく、勝ち目がないとわかっていながら第三世界に革命を広げるための闘争を行っている殉教者というシナリオを用意したのです。

一方、初期キリスト教の使徒で、新約聖書の著者の一人であるパウロはキリスト教を世界宗教にした人です。もともとキリスト教はユダヤ教の一派でしたが、パウロは異邦人・異教徒に積極的に布教しました。

カストロの体制は、ゲバラとともにかつて革命に邁進(まいしん)してきた理想とは裏腹に、結局、ソ連型社会主義の亜流となりました。しかしゲバラを革命の殉教者として聖人の地位に祭り上げることで、いわば、ゲバラを全世界の左翼勢力にとってのキリストにすることで、「キューバ革命の大義は死んでいない。チェ（ゲバラ）に倣って我々は革命に邁進しよう」と訴え、求心力を維持し続けることに成功し、ともかくも社会主義国として生き残っています。

また北朝鮮で、なぜ金正日(キムジョンイル)が白頭山(ペクトサン)生まれであることにこだわったのか。それは白頭山が、朝鮮民族の神話上の祖先である檀君(だんくん)が天から降りてきた場所だからです。
金日成(キムイルソン)から金正日への権力の世襲は金日成が自ら主導したというより、金正日が金日成の息子であるという立場を最大限に利用し、父親を神格化することによって、その血統を受け継ぐ自分こそが首領様の後継者にふさわしいとして激烈な権力闘争を勝ち抜いた結果です。

他の社会主義諸国であれば、父から子への権力の世襲は君主制と同列のものとして忌避されます。レーニンやスターリン、毛沢東の子供たちはいずれも権力の中枢には入っていません。最近の中国では、習近平を含めて、党幹部の子弟である太子党が大きな権力を持つようになりましたが、それでも習近平が自らの親族を直接の後継者として指名したら、他の有力者が黙ってはいないでしょう。

しかし朝鮮半島では、歴史的に姓と始祖・本貫（宗族の出身地）を同じくする宗族集団が社会の基本単位として機能してきたことから、宗族の系譜が記載された〝族譜〟を非常に重要視するという社会的な伝統ないしは慣習が深く根付いていました。ちなみに伝統的な族譜では、宗族の男性構成員について、生没年月日、経歴、配偶者などが記載されるものの、配偶者は姓と本貫のみが記されるだけで、女子には本人の名が載せられずに夫と子の姓名・本貫が記されます。朝鮮半島やその文化的なルーツともいうべき中国で夫婦別姓が当たり前なのは、宗族の男性と結婚した女性は宗族の〝準会員〟だからであって、男女平等とはむしろ正反対の発想です。

こうした価値観ないしは社会習慣が浸透している地域では、金正日は朝鮮最高の革命家である金日成の血統を受け継いでいることに加え、民族の聖地・白頭山で生まれたがゆえに、生まれながらにして朝鮮民族の命運を担うことが決められていたのだというプロパガンダが極めて効果的だったのです。

この辺りの事情は、拙著『北朝鮮事典』（竹内書店新社　二〇〇一年）でもいろいろと説明しておりますので、詳細についてはそちらをご参照ください。

もちろん、北朝鮮は言論の自由のない閉鎖国家ですから、そうした建前に異議を唱えることは、社会的な（そして時には生物学的な）死を意味します。しかし、暴力による威嚇を用いた恐怖政治だけでは、数十年にわたって独裁的な政治体制を維持することはできません。カンボジアのポル・ポトの例を見れば、それは明らかでしょう。

いずれにせよ、外部世界から見ればどれほど荒唐無稽(こうとうむけい)な言説であろうとも、その集団が伝統的に共有している文化的ないしは心理的な背景に刺さる内容であれば、それが受け入れられる可能性はそれなりにあるのです。

逆に、どれほど内容が優れていて論理的で緻密(ちみつ)な言説であっても、人々の理解と共感を得られなければ社会的に深く浸透することはありえないのです。

米国の大統領はマッチョでなければダメ

宗教的に「目覚めよ」はともかく、なぜよりによって救世主がドナルド・トランプなのでしょうか。巨漢のトランプは、外見的に西洋絵画に描かれた痩身(そうしん)のキリスト像とは似ても似つかないし、なにしろ粗野な人物というイメージも強いようにも思われます。

しかし、〝救世主〟ではなく〝アメリカン・ヒーロー〟という視点から見ると、トランプのキャラクターはかなり適格性が高いのです。

ゲイリー・ラックマンの『トランプ時代の魔術とオカルトパワー』（安田隆監訳、小澤祥子訳、ヒカルランド、二〇二〇年）には、トランプのキャラクターについて、〝ライトマン〟という観点から興味深い分析を行っているので、以下、その内容に若干の補足を加えつつ、簡単に紹介したいと思います。

トランプが人生の師の一人として敬愛している人物に、〝自己啓発の元祖〟と呼ばれるノーマン・ピールがいます。

ピールは、ジョセフ・マーフィーの『眠りながら巨富を得る』、デール・カーネギーの『人を動かす』、ナポレオン・ヒルの『思考は現実化する』など、いわゆる〝ニューソート〟の論説を参考に、「自分自身を信じよう。自分の能力を信頼しよう」、「自分に対する自信は、自己実現と成功につながる」と説きました。

ＷＡＳＰ（ワスプ＝ホワイト・アングロサクソン・プロテスタント）の宗教国家として出発した米国では、建国当初、「霊的成功（信仰）」と「現世的成功（経済的繁栄）」の関係をどのようにとらえるかという点で、二つの潮流がありました。

すなわち、初代財務長官であったアレクサンダー・ハミルトンらは農業国のままでは米国の将来は暗いと考え、中央政府主導の下、産業資本を育成し、英国にならった経済システムを導入することで、英国をしのぐ産業国家を作り上げようと考えました。

一方、ヴァージニアの大地主の家に生まれたジェファーソンは、そうしたハミルトンの企図をまったく理解しようとはせず、銀行についても貧乏人から金を巻き上げ、農家を圧迫し、質素な共和主義を堕落させる唾棄すべき存在と思いこんでいました。限られた家内工業しかない〝農業の楽園〟こそが、米国のあるべき理想像だと信じる彼は、「農業を主としている限り、我が政府は今後何世紀にもわたって高潔さを失わずにいられるだろう」と主張し、商業は〝際限のない凶悪窃盗〟であると公言してはばからなかったほどです。

これに対して一九世紀の心理療法家、フィニアス・クインビーは、病気の原因は誤った信念であり正しい信念・信仰を持てば病気が治るという考え方を提唱。ここから、「心は現実に対して直接的に影響を与えることができ、精神的努力のみで〝ものごとを実現する〟ことができる」、「経済的成功は神の恩寵の証明であり、強く祈れば夢は実現する」とするニューソートの思想が生まれます。

クインビーは南北戦争が終わって間もない一八六六年に亡くなりますが、彼の思想は米国の経済が急速に成長していく中で、〝成功哲学〟として社会に深く浸透していくことになります。それを現代風にアレンジして多くの信奉者を獲得したのが、トランプが師と仰ぐピールだったわけです。

"It CAN be done"（やればできる）、"Just DO It"（とにかくやるんだ）、"Be All You Can Be"（全力を尽くしてベストの自分になれ）といったスローガンを目にしたことのある人も多いと思いますが、これは、いずれも〝成功哲学〟がルーツになっています。

トランプに限らず米国大統領になるような人物は、程度の差こそあれ、こうした成功哲学の申し子のようなキャラクターです。実業家として成功を収めたトランプには、特に、その傾向が強いことは衆目の一致するところです。

ところで、成功哲学それ自体は人生訓として結構なのですが、これが行き過ぎると、勝利至上主義ないしは成功至上主義の〝ライトマン（Right Man）〟を生み出してしまいます。

ライトマンは「いかなる状況においても誤りを認めず、自分の道を貫くためなら何事も厭(いと)わない人間」であり、自分は常に正しく（right）、相手は常に間違っている（wrong）と考えます。ものごとを善悪二元論に単純化し、けっして自らの誤りを認めず、取引はゼロサムゲームだとして勝利のみを追い求めている（ように見える）トランプの姿勢は、少なくとも、外見上は典型的なライトマンそのものです。しかし、成功哲学の信奉者が多い米国社会では、そのキャラクターを好意的に受け止める人も少なくないのです。

リベラルが標榜(ひょうぼう)するポリティカル・コレクトネスが重視され、WASPの伝統的な価値観がどんどん毀損(きそん)されていく中で、それに対抗して流れを止めたトランプの風貌(ふうぼう)は、いかにもWASPのおじさんです。金髪碧眼(へきがん)で体が大きい。荒野を切り開く、たくましい西部開拓者のイメージとも重なります。

その彼が、多くの人が間違っていると感じていながら、そう口に出して言えない〝ポリコレ〟に断固としてＮＯと言う。これは、従来の政治家とは違う新しいタイプの大統領。これまでエリートに疎外されていた労働者や中産階級の声を掬い上げてくれる親分肌の指導者。本来あるべき米国のリーダー像に合致するものとして、少なからぬ米国民がトランプを歓迎したのです。

全身俗物臭の漂うトランプではありますが、四の五の言わずに「えいや」と悪者をやっつける姿こそ、アメリカン・ヒーローそのものなのです。日本で二〇〇三年に放映された『仮面ライダー５５５（ファイズ）』は、悪役の怪人（オルフェノク）側のドラマも描き、何が正しいのか、善悪の葛藤に悩むヒーローを描いて高く評価されましたが、伝統的なアメリカン・ヒーローには、そうした苦悩は要求されません。

また、外見という点でも、同じ白人ながら茶髪で神経質そうなゴア元副大統領では小者感があります。バイデンはカトリックだからダメです。アメリカン・ヒーローはＷＡＳＰのマッチョでなければならないからです。

「マッチョ」というと日本では、ボディビルダーのような筋肉モリモリ男のイメージですが、欧米では必ずしも肉体的形質を表す言葉ではなく、むしろ「オレは男だ」「オレについてこい」のような強さをアピールしたがるマウント気質の人に用いられます。よく言えば親分肌のリーダー、悪く言えば傍若無人で男尊女卑のパワハラ・セクハラ男です。なお、たいてい悪い意味の文脈

ウィキペディア「アンクル・サム」より

第一次大戦時の「アンクル・サム」のポスター（右）と、そのパロディとして、2020年の大統領選挙に際してトランプ支持派が作った宣伝ポスター（左）。「君は米国人か？　それとも民主党員か？」との文言が入っている。

で使われます。まさにドナルド・トランプのイメージそのものですよね。

現代のリベラルは、開拓時代からセオドア・ルーズベルトを経て脈々と米国に伝わってきたマチズモ（男らしさ）を否定し、ポリコレを推し進めることを正しい道としています。

しかし、表の世界でいくら否定されても、マッチョ文化は西部開拓時代の物語などを聞いて育つ米国人の心身に染み込んでいます。

上図はアンクル・サム（Uncle Sam）です。アンクル・サムの頭文字は「United States」と同じ。国家としての米国をイメージしたキャラクターで、この図は第一次世界大戦時の陸軍兵士を募集するポスターです。とても有名なので、見たことがある人も多いでしょう。いかつい白人のおじさんで、トランプ支持者のイメージとダブりませんか？

日本では強すぎるリーダーは嫌われますが、荒っぽいトランプの風貌は、米国人が好むザ・アメリカンのある種の定型です。共和党、民主党を問わず、大統領候補が自らの軍歴を有権者に対して積極的にアピールする国ですから、兵役逃れのうえ、女癖の悪いビル・クリントンでは軽蔑されます。

いずれにせよ、単純化された陰謀論カルトを好み、イメージや雰囲気に流されやすいオルト・ライト／オルタナ・ライトの好みにトランプがしっかり嵌ったのは、彼がマッチョなＷＡＳＰおじさんだったという点があったことも見逃してはならないでしょう。

そして、そうしたオルト・ライト／オルタナ・ライトをトランプは利用しました。

トランプ自身が陰謀論を信じているかどうかはともかく、政治家としては自分を支持してくれる分には何でも構わない。せっかくの支持者をあえて切り捨てるようなことはしません。実業の世界から転身してきた政治家ですから、その辺は計算が働いていることでしょう。

そのため、「陰謀論を信じていますか？」などと質問されても明言せずに「彼ら（Ｑアノンおよびその支持者）は愛国的な人々だと思う」などと言ってごまかします。

トランプによる意味深な発言は陰謀論者の間にトランプ信仰を生み、「自分たちはトランプに認められた」「やっぱりトランプは救世主だ」と解釈されます。すると、トランプはますますＱ

アノン的な終末論の中に位置づけられていく。好循環なのか悪循環なのかは見方によりますが、相互作用のスパイラルで勢いを増してきました。

そのためトランプがQアノンの教祖を自称したわけではありませんが、結果的に疑似教祖になってしまったという面は否定できません。

反ユダヤ主義的な要素

米国に広まるカルトは、たいていキリスト教終末論を下敷きにしています。そして、キリスト教世界の陰謀論には反ユダヤ的な要素が仮託されます。

Qアノンが世界の支配者として糾弾する三家「ロスチャイルド家、サウード家、ソロス家」のうちロスチャイルド家とソロス家（ジョージ・ソロス）の二つがユダヤ系です。表立って「ユダヤ人だから」と攻撃しているわけではありませんが、矛先をやはりユダヤ人に向けています。

ボヘミアンクラブという会員制のクラブがあります。その儀式で隠し撮りされたあるパフォーマンスがモレクに生贄（いけにえ）を捧（ささ）げる儀式だとインフォウォーズは報道しました。子供を生贄に捧げる儀式は中世から近代初期にかけての反ユダヤ主義的陰謀論で唱えられたモチーフです。「血の中傷」といい、ユダヤ人が儀式のためにキリスト教徒の子供を誘拐して殺害しているという噂（うわさ）・デマのために、何度もユダヤ人襲撃事件が起きています。

ナチス・ドイツのホロコースト以来、反ユダヤ的な言動は世界的にタブーとなりました。そもそも現代においてはユダヤ教徒、ユダヤ人、ユダヤ系の人たちが、子供を生贄に捧げているなどと信じる人はいません。

ただ、「子供を生贄にする儀式」のイメージは、キリスト教世界では地下水脈として抜きがたく染みついています。そこで、二〇二〇年でも「子供の血液からアドレナリンを抽出し、健康と若さを保つために自らに注入する」などの噂が流れるのです（https://www.wired.com/story/opinion-the-dark-virality-of-a-hollywood-blood-harvesting-conspiracy/）。

その後日譚というのか、「そんな悪魔的な薬（?）を使うエリートを懲らしめるために、ホワイトハッツ（White Hats）が薬をコロナウイルスで汚染した。だからエリートにはコロナ患者が多いのだ」などと尾ひれのついた話もあります（https://www.thedailybeast.com/how-qanon-became-obsessed-with-adrenochrome-an-imaginary-drug-hollywood-is-harvesting-from-kids）。

ちなみに、「ホワイトハッツ」とはトランプ支持のネット民グループです。

「ユダヤ人が……」とは、もはや言わないけれど、古典的な反ユダヤ主義陰謀論のモチーフを投影した〝悪者〟叩（たた）きは延々と続けられます。

信仰は土壌がないところには絶対に根づきません。日本で一神教が根づかないのは、そういう土壌がないからです。

キリスト教徒は布教に熱心で、ミッション系の学校もたくさんあるにもかかわらず、キリスト教徒が人口の二パーセントを超えたことはありません。すべてに神が宿っていて、すべてに手を合わせてしまう人たちにとっては、唯一絶対の神が天地万物を創造したという物語は、話としては面白くても「信じる」ところまでは至りません。

逆に米国社会の土壌においては、「生贄」「善と悪の戦い」「覚醒」などは、キリスト教徒ならパッとイメージできる「いつものアレ」なわけです。

なお前述のように、ほとんどの米国人はQアノン信奉者であっても反ユダヤ主義はいけないものだと思っているのです。

しかし、中にはそれを飛び越えてしまって、「『シオン賢者の議定書』[注]は偽書ではない。事実だ。事実を指摘することが、なぜ反ユダヤ主義なのだ」と反ユダヤ主義のタブー化に異議を唱える人もいます。

欧米社会には、理性で抑えられている反ユダヤ主義が、どうかした拍子に再び出現しかねない土壌があるのです。

(注)『シオン賢者の議定書』：世界の巨悪をすべてユダヤのせいにしている偽書。部分的に事実も含んでいることから一定の説得力を持ち、東欧のポグロム（ユダヤ人に対する殺戮〔さつりく〕、略奪などの集団的迫害行為）やナチス・ドイツのホロコーストにも影響を与えた。偽書であることが公になってからも、「信者」を獲得し続け、反ユダヤ主義者のバイブルとして、今も読まれている。詳細は拙著『みんな大好き陰謀論』参照。

ヨーロッパ、特にドイツで広まるQアノン

Qアノンはヨーロッパにも拡散しています。特に広がりを見せているのはドイツ。約二万人の支持者がいると推定され非英語圏では最大です。ユーチューブやSNSで拡散され、コロナ禍での政府の措置に対する抗議の声を上げるときにもQの旗を掲げるなどしています。

ドイツでナチスは禁止されていますが、今でも極右集団はあり、これが反応しました。悪に支配された既存の秩序と戦うのがトランプだということになっていますから、そのトランプはドイツのためにも戦ってくれるというわけです。

ドイツも日本と同様、第二次世界大戦の敗戦国なので、何かと歴史上のタブーがある。しかもホロコーストで何百万ものユダヤ人を虐殺したのですから、それは日本の比ではありません。

Qアノンとの結びつきが特に顕著なのはライヒスビュルガー（Reichsbürger 帝国市民）というグループで、政府の推計では二〇一九年の時点で一万九〇〇〇人の信奉者がいるとされ、九五〇人が極右とされています。(注)

ライヒスビュルガーと類似の組織は一九八〇年代から存在するのですが、活発化してきたのは二〇一〇年以降だといわれています。民主主義を否定する傾向にあり、君主制支持、極右、歴史修正主義との親和性があり、中には反ユダヤ主義者、ホロコースト否定論者も含みます。多元主

義を否定し、ドイツ連邦共和国の法秩序に従うことを拒否する人々です。

彼らの信じるところによると、「ドイツの戦後にできた共和国は主権国家ではなく、第二次世界大戦後に連合国によって作られた法人」なのです。Qアノンの陰謀論は彼らの陰謀論と合致したので、トランプが軍勢を率いてドイツ帝国を復興させてくれるという期待をいだいたという、なんとも無茶苦茶な展開になっています（https://www.nytimes.com/2020/10/11/world/europe/qanon-is-thriving-in-germany-the-extreme-right-is-delighted.html）。ドイツでも戦後リベラル思想のほうが強かったものですから、その反動があるのでしょう。それは日本も同じです。

では、Qアノン的な社会の分断が日本でも広がるのか。

分断は日本でもありますが、本書で述べてきたように欧米とは背景事情が異なりますので、表に出てくる現象はQアノンとは似て非なるものとなるでしょう。

Qアノンから見た悪役は「小児性愛者（ペドファイル）」「グローバリスト」「民主党」ですが、日本では「在日朝鮮人の陰謀」や「創価学会の陰謀」といったところでしょうか。いずれにしても、宗教的高揚感には欠けますから、よほど日本人全体が経済的に困窮するなどしなければ、それが暴動やテロ

（注）人数は厳密にはReichsbürgerおよびSelbstverwalter（自主管理主義者）の合計。両者は微妙に主張が違うが、層としては分け難い。Reichsbürgerはドイツ帝国の復興を望み、Selbstverwalterは旧帝国にはこだわらない。（https://www.bmi.bund.de/SharedDocs/downloads/DE/publikationen/themen/sicherheit/vsb-2019-kurzfassung.pdf?_blob=publicationFile&v=3）

に結びつくことはなさそうです。

全米を動かせるとの錯覚──Qアノンの魅力とテロ化の危険性

米国に限らないことですが、あらゆる面で社会が複雑化した先進諸国では、民主主義を標榜していながら一般人が政治を変えることは事実上不可能になっています。一介の市民が直接できることは、せいぜい地元の自治体の学校教育など身近な問題についての提案ぐらいでしょう。それも地道な運動をして、議員に働きかけ、ようやく条例がひとつ通るかどうかというレベル。それが、一気に全米を動かせるとの錯覚を与えているのがQアノンです。実際には現状が変わっているわけではないのですが、不満を持つ人々の本音を汲み上げる仕掛けが満載なので、自分たちが国を動かしているかのような錯覚を生み出しています。ネット社会ならではの現象と言えるでしょう。ただ、つかみどころがなく、その信奉者は熱しやすく冷めやすい傾向もあるようです。

外から見るとQアノンの主張は、キリスト教的な価値観を下敷きにした米国ならではの陰謀論なのですが、Qアノンコミュニティ内の人々は、宗教に関わっている自覚がありません。

そのため、福音派や保守的なキリスト教徒などが、Qアノンに興味を持って、「では、一緒に神のために祈りましょう。今度、教会に集まりましょう」などと言うと、反発してしまいます。「寄付を狙っているな」「あいつら儲けようとしている」と察知すると、とたんに離脱してしまうケースも多いといいます。

まともで懐疑的な人は、陰謀論そのものの胡散臭さ、あるいはQアノン支持者仲間の儲け主義などを感じ取って離れます。また、深く信じていたがために、陰謀論の予測が外れ、幻滅して離脱する者もいます。実際、二〇二一年一月六日の米連邦議事堂侵入事件から同二〇日のバイデン大統領就任式を経て、「信じていた自分が愚かだった」とQアノンから〝卒業〟していく人が続出しました。

その反面、予測が外れても、「意図的にデマ情報を流して、弾圧を逃れているのだ」とのQアノンの言い訳を信じ、それでも残るコアな層もいます。そして、このコアな残留組は、より過激なカルトと化していく危険性が指摘されています。

これは、ネット上の課金制ゲームのようなものといってもいいかもしれません。最初は無料で始め、本人もお金を払うつもりなどなかったのに、ゲームを進めるためには武器などのアイテムが必要になってきて、ついつい課金してしまう。高い武器を買わないとクリアできないので、どんどんエスカレートして、結局、多額をつぎ込むことになる。

まさに、その構図と一緒です。

ネットの中のお遊びで済んでいるうちはいいのですが、いよいよ予言が外れたときにカルト化した集団の動きは予測ができません。幻滅してやめる人はよし。しかし残ったコア層は、最悪の場合、テロリスト化する例があります。

実際、米国では、前例に事欠きません。人民寺院事件(注)やマンソン・ファミリー(注)、ヘヴンズ・ゲート(注)など、集団自殺したり、罪のない人々を殺めたりしています。

日本では、オウム真理教事件がありました。オウム真理教もまた終末思想を持ちハルマゲドンが来ると予言。一九九〇年には教祖・麻原彰晃みずからと信者二四名が衆議院議員総選挙に出馬しましたが、全員落選しました。選挙で惨敗すると、自分たちが支持されていないことを棚に上げて「これはおかしい」と逆恨みした上で過激化し、国家転覆計画を実行に移します。一九九四年に松本サリン事件、一九九五年に地下鉄サリン事件を起こし、サリンガスによって多数の死傷者が出たことは、ご記憶の方も多いかと思います。

カルト集団の人たちは自分たちが正しいと信じているので、掲げる主張・理想が通らないと、「何か不正があるに違いない」などと悪事を他者に押しつけます。また、予言は正しいのだから、予言通りにならないと、その予言に合わせて現実化しようと動いてしまうことすらあります。

二〇二一年の年明け早々の米連邦議事堂侵入事件もまた、Qアノン支持者の鬱憤が爆発したものです。今回は米国の国体を毀損するところまで行ってしまいました。そうなるとFBIもこれを放っておけません。

FBIは国内テロを監視していますが、対象を主に四つのカテゴリーに分類しています。

・人種差別を動機とする暴力的過激主義
・反政府・反権威に関する過激主義
・動物の権利・環境保全に関する過激主義
・中絶に関する過激主義（プロチョイスや反中絶の過激派が含まれる）

「動物の権利・環境保全に関する過激主義」だけは左派系ですが、残りの三つはQアノンの方向性と重なります。彼らが暴走する可能性は大いにあるでしょう。

バイデン政権ができ、上院での弾劾裁判を通じて、さすがのトランプも敗北を認めました。疑似教祖だったトランプがいなくなったわけですが、裏返していえば、彼らに対する歯止めもなく

（注）**人民寺院事件**：キリスト教系新宗教。キリスト教と共産主義の融合を図った。理想郷を建設すべくガイアナに土地を借り受け教祖の名をとった「ジョーンズタウン」を開拓。しかし、結局は行き詰まり、一九七八年、九一八人が集団自殺を遂げる。

（注）**マンソン・ファミリー**：チャールズ・マンソン（一九三四〜二〇一七）はカリフォルニアでヒッピーの集団を率いて共同生活していた。黒人対白人の戦争が勃発し、白人を全滅させて世界を支配するという終末論を持ち、仲間たち「ファミリー」は殺人集団と化していく。

（注）**ヘヴンズ・ゲート**：UFOを信仰する宗教団体。一九九七年のヘール・ボップ彗星（すいせい）接近時、彗星とともにやってくる宇宙船に魂を乗せて「引き上げて」もらうべく集団自殺を起こし、消滅した。

なったのです。集団を束ねる〝教祖〟が集団を煽るのも危険ですが、その統制が効かなくなった集団もまた厄介です。

カルト集団の暴走は、前述のように悲惨な結果を招きかねません。

Qアノン支持者たち（の一部）は、すでに連邦議事堂侵入という暴力事件を起こし、単なる「変な人たち」では済まない段階となりましたので、ネット上の規制が設けられはじめています。言論の自由は守らなければなりませんから、制限するにしても明確な基準がなければいけないと思いますが、放置できない状況であるのはたしかです。

しかし、ただ抑えればいいというものではありません。現状に不満だから、こういう運動が支持を集めるのです。貧富の差は拡大し、庶民はないがしろにされ、エリートが不正を行い……といった不満は陰謀論でもなんでもなく、目の前の事実としてあるのです。そこを解消しないことには次々と陰謀論の種が撒かれ、Qアノンを抑えたとしても、第二、第三のQアノンが出てくるであろうことは想像に難くありません。

カルトを暴発させず制御できるかどうかは、米国社会の公平性や透明性がどの程度担保されるか、そして、リベラルとポリコレのこれ以上の〝ライトマン〟化を食い止められるか否か、ということ次第なのではないかと私は考えています。

おわりに

米国の大統領選挙をめぐって、米国のトランプ支持者の一部が「選挙は不正で無効」と主張し、ディープ・ステイトの「陰謀」を非難するのは（事実認識としての適否や彼らの主張への賛否は別として）理解できないことでもないが、なぜ、百田尚樹氏ら日本の（自称）保守派の一部がそれに同調し、バイデンが勝利したという現実を直視するようたしなめる人々に「バイデン推し」などのレッテルを貼って、罵詈雑言を浴びせていたのか。米国の大統領選挙はあくまでも「外国」の出来事で、日本人に投票権はないし、ましてや、その結果を変えることなどできないのに……。

昨年（二〇二〇年）末から、このような疑問を持った方は多いのではないかと思います。

この問いに対する答えはさまざまでしょうが、大前提として、彼らにそれを受け入れる土壌があったという点は確実に指摘できるでしょう。

日本国内で、いわゆるディープ・ステイトの陰謀論が拡散していくうえで重要な役割を果たしたのは、キューバ、ウクライナ（兼モルドバ）大使を務めた元外交官で、二〇一二年に『いま本当に伝えたい感動的な「日本」の力』で作家デビューした馬渕睦夫氏です。

馬渕氏は、その著書『「反日中韓」を操るのは、じつは同盟国・アメリカだった！』において、「日本で『外資』と呼ばれているウォールストリートやロンドン・シティ（英金融街）の銀行家たちです。彼らの多くはユダヤ系です。彼らは世界で自由に金融ビジネスを展開しようとしている人たちで、国境意識も国籍意識も持っていません。彼らにとっては、各国の主権は邪魔な存在でしかありません。世界中の国の主権を廃止し、国境をなくし、すべての人を無国籍化して、自分に都合の良い社会経済秩序をつくろうとしています。彼らのグローバリズムの背景にあるのが、実は『ユダヤ思想』です」として、古典的なユダヤ陰謀論の系譜に連なる主張を展開。国際金融資本等によって世界を裏から操るディープ・ステイトが存在しているとの言説を垂れ流してきました。いまさらながら、そうした人物が大使という要職を務め、外務省退官後は防衛大学校で教鞭をとっていたかと思うと、事の重大さに慄然とする思いです。

どこの国でも「保守」を自負する人々の基本はナショナリストであり、グローバリズムには批判的ですから、グローバリズム拡散の背景に「黒幕」がいるという主張は彼らにとっても受け入れやすいものです。特に、馬渕氏の場合は元ウクライナ大使という肩書があり、クリミア半島をめぐるウクライナとロシアの紛争に際して、西側メディアの反ロシア的な報道傾向を批判することで注目を集めたという経緯がありました。インターネットの保守系チャンネルなどでは、十分な根拠も具体例も示すことのないまま馬渕氏が垂れ流すディープ・ステイト陰謀論を好意的に受け止め、それを繰り返し配信してきました。その結果、日本国内でもディープ・ステイトの存在を前提にグローバリズム批判を展開する論者が、いわゆる保守論壇を中心に少なからず出てきました。彼らがビジネスとしてディープ・ステイト陰謀論者を演じている／いたのか、心からそうした陰謀論を信じている／いたのか、各人各様の事情があることでしょう。いずれにせよ、日本の言論空間において、そうした世界観を共有する層が一定程度存在していたことは見逃せません。

さらに、米国の大統領選挙最中の二〇二〇年九月一六日、そうしたネット保守層（の一部）の間で絶大な人気を誇っていた安倍晋三首相が健康問題を理由に辞職。安倍氏自身の政治姿勢は世界標準からするとリベラル保守ないしは中道左派というべきものですが、リベラルやポリコレ、さらにはディープ・ステイトと戦う（イメージの）トランプ米大統領の「盟友」であったこともあって、なぜか、安倍氏は保守（反対派からは極右）との印象を持つ人が少なくありませんでした。

その安倍氏が退陣し、さらに、盟友のトランプも落選するようなことがあれば、ディープ・ステイトによる世界支配がより強化され、「日本」は消滅するのではないかとの漠然とした不安がネット保守層（の一部）の間に拡散していきました。大統領選挙直前の一一月二日、百田尚樹氏が「万が一、トランプが負けるようなことになれば、2020年11月4日は、『世界の終わりの始まりの日』となる。私の生きている間に日本も滅ぶかもしれない……」とツイートしていたことは、当時の彼らの間の空気感を端的に表しています。

こうした背景があったところへ、前回（二〇一六年）よりも一〇〇〇万票も得票を上積みしたトランプが敗れ、「悪魔」の民主党バイデン政権が誕生したことで、米国内でQアノン等の陰謀論が拡散すると、その波が日本にも伝わり、特定の層の間で浸透していったというのが、二〇二〇年末から二〇二一年前半にかけてのネット空間の状況だったと総括できると思います。

さらに、日本の場合は、言語上の問題もあって、さまざまな立場の英文記事を十分に検証することのできない人も多く、そうした人たちは、Qアノンないしはその支持者の発信、それも日本語に訳されたもののみを検索で探し当て、それをSNSで拡散することにより、同様の認識を持っている〝同志〟が膨れ上がりました。

もともと、「大手メディアはディープ・ステイトにコントロールされていて、真実を伝えていないが、我々はネットのおかげで隠された真実を知ることができた」という人々の集団がクラスター化していったわけですから、冷静で客観的な外部の視点を自分たちに対する（ディープ・ステイト側の）攻撃と受け止める素地は十分にありました。そこから、彼らが「バイデン推し」と認定した論者への執拗なまでの罵詈雑言や誹謗中傷のツイートが繰り返され、一部の悪質な言論人やジャーナリストがそれを煽動し、事態をますます悪化させるという構図が生まれたわけです。

おそらく、そうした陰謀論者たちは、仮に本書を手に取ったとしても、その内容を理解する意思も能力もないまま、私に対する的外れな非難と妄想をネット上にバラ撒いていくことでしょう。

完全に「あちらの世界」に行ってしまった人には、何を言っても無駄なので、私と本書の読者、そしてその周囲に実害が出ない限りは、どうぞご自由に、というしかありません。

しかし、現実世界でまっとうに生きている多くの人々や、一時の気の迷いで「あちらの世界」に迷い込みそうになったものの、何とか踏みとどまった人たちであれば、本書を通じて、陰謀論の荒唐無稽（こうとうむけい）さや、そこから生まれた混乱の概要とその背景、さらに現代米国社会への理解を深めていただけるものと確信しております。

なお、本書の内容は、拙著『世界はいつでも不安定　国際ニュースの正しい読み方』（ワニブックス、二〇二一年）と相補的な関係にありますので、ぜひ、同書も併せてお読みください。

末筆ながら、本書の制作実務に関しては、倉山満先生のほか、倉山工房の徳岡知和子さん、編集者の本間肇さんに大変お世話になりました。また、インターネット番組の「チャンネルくらら」で平素よりお付き合いいただいている渡瀬裕哉先生からは実に多くのことを学びました。あらためて、感謝の意を表して、筆を擱（お）くことにしたいと思います。

西暦二〇二一年四月九日

著者識す

主要参考文献

＊紙幅の都合上、特に重要な引用、参照を行った日本語の単行本に限って挙げている。
なお、インターネット上の情報の典拠として本文中に記したURLは、二〇二一年三月末に閲覧・確認したものである。

飯山雅史『アメリカの宗教右派』中公新書ラクレ　二〇〇八年
C・V・ウッドワード（清水博・有賀貞・長田豊臣訳）『アメリカ人種差別の歴史』福村出版　一九九八年
江崎道朗『マスコミが報じないトランプ台頭の秘密』青林堂　二〇一六年
ジェームズ・フィン・ガーナー（真野流監修、デーブ・スペクター、田口佐紀子訳）『政治的に正しいおとぎ話』ディー
エイチシー　一九九五年
倉山　満『大間違いのアメリカ合衆国』KKベストセラーズ　二〇一六年
上坂　昇『神の国アメリカの論理　宗教右派によるイスラエル支援、中絶・同性結婚の否認』明石書店　二〇〇八年
佐藤唯行『アメリカ・ユダヤ人の政治力』PHP新書　二〇〇〇年
鈴木崇巨『福音派とは何か？　トランプ大統領と福音派』春秋社　二〇一九年
ウィリアム・ストラウス、ニール・ハウ（奥山真司監訳、森孝夫訳）『フォース・ターニング（第四の節目）――アメリカ
の今ここにある危機は予言されていた！』ビジネス社　二〇一七年
高島康司『Qアノン　陰謀の存在証明』成甲書房　二〇二〇年
立山良司『ユダヤとアメリカ　揺れ動くイスラエル・ロビー』中公新書　二〇一六年
内藤陽介『北朝鮮事典　切手で読み解く朝鮮民主主義人民共和国』竹内書店新社　二〇〇一年
内藤陽介『大統領になりそこなった男たち』中公新書ラクレ　二〇〇八年
内藤陽介『チェ・ゲバラとキューバ革命　ポスタルメディアで読み解く』えにし書房　二〇一九年
内藤陽介『みんな大好き陰謀論　ダマされやすい人のためのリテラシー向上入門』ビジネス社　二〇二〇年

主要参考文献

内藤陽介『世界はいつでも不安定　国際ニュースの正しい読み方』ワニブックス　二〇二一年

中野勝郎『アメリカ連邦体制の確立　ハミルトンと共和政』東京大学出版会　一九九三年

野口英明『世界金融本当の正体』サイゾー　二〇一五年

ジョン・アール・ヘインズ、ハーヴェイ・クレア（中西輝政監訳、山添博史・佐々木太郎・金自成訳）『ヴェノナ　解読されたソ連の暗号とスパイ活動』扶桑社　二〇一九年

本間長世『ユダヤ系アメリカ人　偉大な成功物語のジレンマ』PHP新書　一九九八年

馬渕睦夫『「反日中韓」を操るのは、じつは同盟国・アメリカだった!』ワック　二〇一四年

ヤコブス・デ・ウォラギネ（前田敬作、山口裕訳）『黄金伝説　2』人文書院　一九八四年

ゲイリー・ラックマン（安田隆監訳、小澤祥子訳）『トランプ時代の魔術とオカルトパワー』ヒカルランド　二〇二〇年

渡瀬裕哉『なぜ、成熟した民主主義は分断を生み出すのか　アメリカから世界に拡散する格差と分断の構図』すばる舎　二〇一九年

渡瀬裕哉『2020年大統領選挙後の世界と日本　〝トランプorバイデン〟アメリカの選択』すばる舎　二〇二〇年

●著者略歴
内藤陽介（ないとう・ようすけ）
1967年東京都生まれ。東京大学文学部卒業。郵便学者。日本文芸家協会会員。切手等の郵便資料から国家や地域のあり方を読み解く「郵便学」を提唱し、研究・著作活動を続けている。主な著書に『みんな大好き陰謀論』（ビジネス社）、『世界はいつでも不安定』（ワニブックス）、『日本人に忘れられたガダルカナル島の近現代史』（扶桑社）、『なぜイスラムはアメリカを憎むのか』（ダイヤモンド社）、『中東の誕生』（竹内書店新社）、『外国切手に描かれた日本』（光文社新書）、『切手と戦争』（新潮新書）、『反米の世界史』（講談社現代新書）、『事情のある国の切手ほど面白い』（メディアファクトリー）、『マリ近現代史』（彩流社）、『日韓基本条約（シリーズ韓国現代史 1953-1965）』『朝鮮戦争』『パレスチナ現代史』『チェ・ゲバラとキューバ革命』『改訂増補版 アウシュヴィッツの手紙』（えにし書房）などがある。

編集協力／徳岡知和子（倉山工房）
帯写真／ shutterstock

誰もが知りたいQアノンの正体 みんな大好き陰謀論Ⅱ

2021年6月1日　　第1刷発行

著　者　内藤 陽介
発行者　唐津　隆
発行所　株式会社ビジネス社
〒162-0805 東京都新宿区矢来町114番地
神楽坂高橋ビル5階
電話 03(5227)1602　FAX 03(5227)1603
http://www.business-sha.co.jp

カバー印刷・本文印刷・製本/半七写真印刷工業株式会社
〈カバーデザイン〉斉藤よしのぶ
〈本文DTP〉メディアタブレット
〈編集担当〉本間肇　〈営業担当〉山口健志

ISBN978-4-8284-2273-2

ビジネス社の本

教科書では絶対教えない偉人たちの日本史

日本をつくり、救った28人の日本人

倉山満……著

定価　本体1600円＋税

ISBN978-4-8284-2263-3

《日本とはどういう国か?》

超人たちの偉業を見よ!

・国の礎を築いた——仁徳天皇
・民の世を切り拓いた武将——平清盛
・日本史上最高の演説政治家——北条政子
・動乱期に登場した超能力者——足利尊氏
・日本の危機を学問で救う——緒方洪庵
・憲政史上最高の総理大臣——桂太郎
・日本を滅亡から救った——昭和天皇

その他全28人

本書の内容

第一章　伝説から歴史へ
第二章　貴族の時代
第三章　武者の世に
第四章　乱世の英雄たち
第五章　豊かな江戸
第六章　大日本帝国の興亡
第七章　昭和天皇——日本を本物の滅亡から救ったお方

ビジネス社の本
オードリー・タン
日本人のためのデジタル未来学
早川友久……著
定価　本体1500円＋税
ISBN978-4-8284-2266-4
『世界一受けたい授業』連続出演で話題沸騰！
AI、DXからダイバーシティまで「オードリー流デジタル入門」決定版！
「物事を最終的に判断するのは人間であって、AIではありません」「デジタルを使える人間だけがDXに取り組んでも、成功はおぼつかない」「誰もが多数派に属することもあれば、ときには少数派に属することもある」天才オードリーの言葉から見えてくる「自由」の真の意味と日本の進むべき道！　メディアアーティスト落合陽一氏から『サピエンス全史』著者ユヴァル・ノア・ハラリ氏まで世界が絶賛する頭脳を徹底解剖！
本書の内容
第1章　「未来」をゼロからつくり上げる独創思考
第2章　「自由」をつかみ取るために必要な共鳴思考
第3章　「危機」を即座にチャンスに変える加速思考
第4章　「能力」を最大限に引き出す多元思考
終章　オードリー流思考術＋台湾的柔軟性＝日本の未来サバイバル戦略
早川友久著
オードリー・タン
日本人のためのデジタル未来学
AI、DXからダイバーシティまで
「オードリー流デジタル入門」
決定版!
「世界一受けたい授業」
(日本テレビ系、2021年1月30日・2月20日・3月27日)
連続出演で話題沸騰！
ビジネス社